WAC BUNKO

暴走するジェンダーフリー

異論を許さない時代

橋本琴絵

WAC

はじめに――「女」になりたければ「男性器（ペニス）」を切断しなさい！

令和三年五月二十七日、東京高裁（北沢純一裁判長）できわめて重要な判決が出た。経済産業省の「男性」職員である一審原告（被控訴人）が、医師から性同一性障害の診断を受けたことのみを理由に、勤務する部屋から近い女子トイレの利用制限を受けたこと等を不当だとした損害賠償請求につき、請求を認めた第一審（東京地裁）の判決を取り消したのだ。

上司による「（男性器の切除手術を）しないのだったら、もう男に戻ってはどうか」という発言のみ違法性を認め、その他の請求を棄却する判決を下した。私は、この東京高裁の判決を原則として支持する（この判決文に「もうひと言」あれば全面支持するところだったが……。「もうひと言」は本文末尾に明記する）。

本書では、東京地裁が下したような倒錯した単細胞的な判決の論理（観念的な「男女平等論の擁護）の数々を俎上（そじょう）にのせて批判した。そうした下級審の偏向した裁判判決が一部メディアによって正当なものだと広められて「皆様へのお墨付き」となって「世論」となっていくことに危惧を抱いているからだ。

一知半解なＬＧＢＴ差別禁止論が、実は同時に苛烈な女性差別を内包するものであるという現実を知ってほしい。そういった主張を本書ではかなり展開しているが、この冒頭でも前記の裁判を通じて一言論じておきたい。

この裁判はこういう経緯で始まった。

経済産業省職員の「男性」（以下、本件男性という）が、生まれた時から生物学上（戸籍上）の性別が「男性」である事実と本人の性認識が不一致であることから、精神科医を受診して性同一性障害の診断を受けたという。しかし、本件男性は性同一性障害者の性別の取扱いの特例に関する法律第３条第１項で定める家庭裁判所の審判を受けてはおらず、また性転換手術も「皮膚のアレルギー」等を事由に拒否していることから、法律上（戸籍上）も生物学上も男性である。

ところが、本件男性は平成二十一年七月頃、自らが性同一性障害を発症していることを職場の上司に伝え、同年十月頃より女装して勤務することを希望し、その許可を得た。引き続き、本件男性は勤務する部屋に近い女子トイレの利用を希望した。そこで、経産省側は普段女性職員の利用が少ない二階ほど離れた女子トイレの利用を認めた。しかし、多くの女子職員が利用する女子トイレの利用を認めるためには、本件男性が性同一性障害を発症していることを女性職員たちへ自ら説明して女性職員の理解を得なければならないとしたところ、本件提訴に至ったものである。また、本件男性は上半身の衣類を脱ぐ必要性のある健康診断をほかの女子職員と同一の時間内に行なうことも要求していた。

第一審の東京地裁は、本件男性のそんな主張を全面的に認めた。その理由を大きく二つに分けると、第一に性同一性障害の者と変質者をその外観から判別する手段がなく、毎年必ず我が国で発生している女子トイレ内での性犯罪被害を女性職員が受ける蓋然性（がいぜんせい）の恐怖について「抽象的な可能性」に過ぎないと軽視したのである。

第二に本件男性が「その意思にかかわらず、性別適合手術を受けるほかないこととなり、そのことが意思に反して身体の侵襲を受けない自由を制約する」（つまり、本件男性は性自認が女性である一方で、男性器の切除手術を受けたくないという意思を持つのに、手術を受けなければならないことはおかしい）というものであった。

まず第一審の「狂気」は、女子トイレは女性の社会生活上必要不可欠な施設である一方、変質者による排泄行為の盗撮や強制猥褻など過去多様な性犯罪が反復して実行された犯罪機会を提供する場所であるにもかかわらず、「変質者」と「性同一性障害」の区別を法律上受けていない者が利用し、その区別が外観上不可能となることで女性が警戒ないし防犯・自衛する機会を奪い、女性全体が性犯罪被害を受ける可能性が高まることへの恐怖を覚えるといった人権侵害について、受忍義務が女性にはあると判断したことだ。

要は「女はガマンせよ」という「性差別思想」に基づく判決なのだ。

この懸念を指摘した経済産業省側の主張を「抽象的な可能性」に過ぎないと断じた第一審判決は、まさにLGBT関連の政治思想が苛烈な「女性差別思想」に基づくものであることを暴露していると私は考えている。

次に、第一審の矛盾点は、性自認が女性である本件男性による「男性器切除手術を受けることは喜びではない」との趣旨の主張を認定していることである。手術できない医学上の理由は認定されておらず、あくまで本件男性の「皮膚にアレルギー等があるので手術できない」とする自己申告のみに基づく認定である。

私が不思議なのは、性自認が女性であるのに男性器を持つ客観的事実こそが、何より苦痛なのではないか、といった疑問である。私は性自認も生物学上も女性であるが、もし自分の身体に男性器があったならば、何よりも優先して切除手術を受けることが幸福であると考える。実際、前掲の性同一性障害者の性別の取扱いの特例に関する法律を立法化する際にも、多くの性同一性障害当事者にヒアリングを行い、性自認とは異なる性器の切除が苦痛であるとの証言が皆無であったことから、戸籍上の性別変更要件には、性自認とは異なる生殖器の切除が必要だと法定されたのである。だから、本件男性の主張は、他の性同一性障害の方々とは同一のものとみなすことは私にはできない。

生殖器を切除して性自認のみならず生物学的にも法的にも完全に「女」になった「元男性」が女子トイレの利用を拒まれているわけではないのだ。

つまり第一審の主張とは、法律も医学も社会性も治安の安定も女性の人権侵害も一切関係なく、個々人の自称「性自認」がすべてに優先するものであり、この優先の実行にあたって、ほかの人々の人権が害されることは首肯される、というトンデモ判決だったのだ。

こうした過激な政治思想は、二十世紀に数億の人類を地獄に叩き落した共産主義思想と近似性を持つと私は考えている。革命の大義、実行のためには、十歳の王族女子（ロマノフ王家）を撲殺しても正しいことであると考え、革命のためには女性を殺しても、男児と売春婦を交わらせて性感染症に罹患させても犯罪ではない（フランス革命時、ルイ16世の長男シャルルが受けた処遇とされる）といった類の向こう見ずな「殺意」がＬＧＢＴ関連の主張に垣間見えるのである。

本件男性が性自認とは異なる生殖器の切除手術を受けることと、女性全体が変質者と性同一性障害者の区別ができず変質者から性被害を受ける不利益ないしその蓋然性の恐怖を受ける不利益を比較して、前者が優先されるとした東京地裁の「性差別思想」は、女性の私としても絶対に看過できない。

以上から、私が高裁の裁判長ならば、今回の判決文の最後に、「従って、原告はまずは『一式』を切り落としてから女子トイレを利用されたい」（性同一性障害者の性別の取扱いの特例に関する法律平成十五年法律第百十一号第三条第一項第四号の法定要件より）を加えたことだろう。これがあれば完璧な判決だったと言えよう。

ともあれ、我が国ではほかの先進国に先駆けて、性転換手術をすれば法律上の性別さえ変更できる法律を既に施行している。これで、トランスジェンダー（出生時の戸籍の性別とは異なる性別を自認する人）の問題はすでに解決・終了している。にもかかわらず、すこし譲歩すれば度を越して侵犯してくるどこかの赤色帝国のように、「裁判所も法律も関係ない。俺がそう思っているのだからそうしろ」という「傲慢で尊大で実に男性的主張」には、私は一人の女性として断乎ノーを唱えたい。そんな主張を尊重する理由を私は見いだすことができないのだ。

権利保護を大義名分にして、ほかの権利侵害を平然と行うことは絶対的に許されない。そもそも、我が国の歌舞伎に「女形」があるように、約四百年前から日本はＬＧＢＴ文化に寛容であった。そうした我が国の伝統と歴史に対して、女装した男性を火刑に処していたような国々の基準を適用することは根本的に発想が歪んでいる。我が国は厳格な封建君主の下でさえ、いまで言えば同性愛者向けのポルノ雑誌のような「男色の春画」

などの発行も容認されていた歴史を持つ国である。まさかゲイ雑誌が発行されていたことを数百年後の世界で誇られることを当事者は予想しなかっただろうが、歴然たる事実である。

本書は私にとって初めての書物になる。暴走するジェンダーフリー論に女性の視点から「ストップ」をかけなくては日本の伝統も文化も破壊されるのではないかとの危機感から執筆した。

橋本琴絵

暴走するジェンダーフリー

異論を許さない時代

●目次

装幀　須川貴弘（ＷＡＣ装幀室）

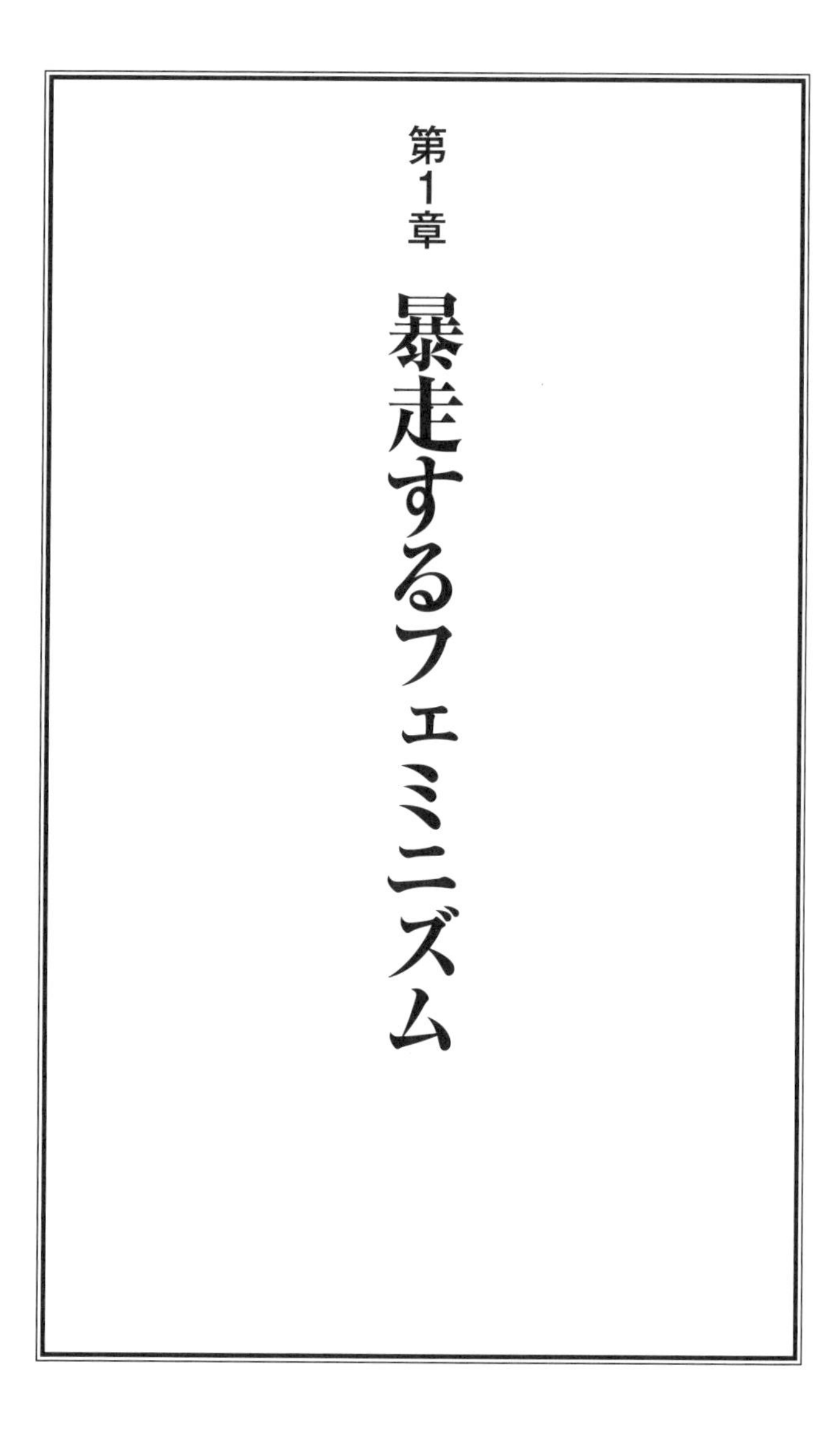

第1章 暴走するフェミニズム

トランスジェンダー選手（女性自認）の五輪参加は「不公平」？

男性器を切除して造膣手術を受け女性として出場した選手

二〇二一年七月に開催された東京オリンピックの開幕にあたって、コロナがらみではない、もう一つの議論が沸き起こっていたことを読者はご存じだっただろうか？ それは、今回の東京オリンピックから初めてトランス女性（生物学上の男性）が、女性アスリートとして競技に参加することが認められたからだ。

ニュージーランド出身のローレル・ハバード選手（身長185センチ、体重130キロ）は、二〇一二年まで「通常の男性」として各種競技に参加していたが、二〇一三年に突如として性自認が女性であると主張し、以後、女性アスリートとして競技に参加することとなった。

これに対して、オーストラリア重量挙げ連盟からは「不公平だ」と批判が起き、東京オリンピックに参加予定の他の女子重量挙げ選手（ベルギー枠）からは「悪い冗談だ。（差別禁止の規定は）他人を犠牲にしてまですべきではない」との言葉が漏れ、同じトランス女性のケイトリン・マリン・ジェンナー（モントリオール五輪陸上金メダリスト）も「公平性を守るためトランス女性が女子スポーツに参加することを禁じるべき」と批判した。

当のオリンピック公式委員会は、二〇一五年に「トランス女性の参加基準」を設定した（なお、生物学上の女性が性自認によって男性となるトランス男性には一切の参加資格制限はない）。それによると、大会開催の一年前から男性ホルモンの一つである「テストステロン」の血中濃度が10nmol／L以下であれば、「トランス女性」として参加が認められるというものだ（nmol＝ナノモル、濃度を表す単位）。

では、この10nmol／Lという数値は、一般的な女性の血中テストステロンと比較して、果たして公平なのか。

詳しい数式は割愛するが、10nmol／Lという濃度をグラム換算すると、10nmol／L＝2・884 2ng／mLとなる。そして、一般的な女性の血中テストステロン値は0・1ng／mL程度であるため、この数値は一般女性の二十八倍以上ということになり、極めて不公平な基準と考えざるを得ない。

また、競技者に必要な筋肉と骨格はテストステロンの作用によって形成され、それら競技に使う筋肉と骨格が形成されるのは、思春期以降においてなのだから、「大会の一年前」という制限は科学的に何の意味もないであろう。

実は、オリンピック参加資格において「何を以て男女を定義するのか」という議論は、薬物ドーピング規制の歴史と等しく長いあいだ議論されてきた。

これまでは単に生殖器の有無で判断されたが、世の中には両性具有で生まれる場合もあり、そうした選手が果たして男女どちらの枠でオリンピックに出場するべきなのか議論されてきた。また例えば、旧ソ連などの共産圏の選手たちが「男であるのに男性器を切除して造膣（ぞうちつ）手術を受け女性として出場」していたのではないかといった疑惑が寄せられたこともあった。共産国ではオリンピックを国威発揚の絶好の機会だと捉えられており、オリンピックでメダルを獲得することは共産主義の正しさを証明するものだと考えられ、薬物ドーピングだけに留まらず積極的に不正を試みたのではないかとの懸念があった。

テストステロン濃度で男女の判定は可能か

では、結果的にどのような基準で「選手の性別」を決定すべきなのだろうか。これには、三つの考え方がある。第一にY染色体保有説、第二に生殖器保有説、第三にテストステロンレベル説である。

まず、第一のY染色体保有説は、男性が持つ「Y染色体」に着目した説である。この説により、女性として生まれ、女性としての自認があり、女性として生きてきたアスリートにY染色体が確認されたとして欠格となった時代もあった。

しかし、Y染色体を持つからと言って、必ずしも男性の肉体になるとは限らないケースがあること、女性が男児を出産した場合も、その女性の体細胞にはY染色体が融合することがあること、稀有な例ではあるが、単に男性と性行為をしただけでも女性の脳細胞へY染色体が半永久的に宿る場合が確認されていること（マイクロキメリズム）などから、現代ではY染色体判定説は採用されていない。

第二の生殖器保有説はその名の通り生殖器の有無での性別判定方法であるが、前述のように去勢して参加資格を得ようとする不正が考えられるため、これも正確な判断基準にならないとして、採用されていない。

そこで最後に注目されたのが、第三の方法であり、今回の重量挙げ選手の判断基準でも採用されたテストステロンレベルによる判定方法である。一般的に、男性は睾丸と副腎でテストステロンを生成し、女性は副腎でのみ生成する。このため、男女のテストステロン分泌量は、けた違いの差がある。中には例外もあるが、それはレアケースで、おおむね血液中におけるテストステロンレベルの性差は全ての人種と民族にある。

しかし、ここでも大きな問題が起きた。「先天性副腎過形成症」という病気の女性は、本来少量のテストステロンを生成するはずの副腎が、男性の睾丸なみのテストステロン生成能力を持つのである。この病気はおよそ一〇五二人に一人の女性が発症し、我が国では一九八八年から新生児の段階で検査して治療できるようになったが、これ以前に生まれた日本人女性やこうした医療インフラが無い国々では、現在も多くの女性が副腎過形成症を未治療のまま生活している(この病気の女性は脳に男性同様のテストステロン〈アンドロゲン〉量を被曝すると考えられている)。

生まれた時からテストステロンレベルが一般女性をはるかに凌駕していれば、それに伴い筋肉と骨格の発達に顕著な差が生じるため、競技をする上で不公平であると考えられた。そこで、オリンピック委員会は過去六カ月間のあいだ連続して血中テストステロン濃度が5nmol／L以下でなければ「女性選手」として認められないとの判断基準を採用した。

この5nmol／Lという数字は、一般男性の血中テストステロン平均濃度の半分程度である。

例えば、南アフリカの陸上選手キャスター・セメンヤは、ロンドン五輪とリオデジャネイロ五輪の金メダリストであったが、東京五輪では女性アスリートとしての資格があるのか疑惑が寄せられたうちの一人だ。彼女は性自認で女性となったのではない。生まれた時から女性として性別を認定され、女性として生きてきた。しかし、彼女のテストステロンレベルがほかの女性アスリートの平均値から飛びぬけていたため疑惑の対象とされた。

結論として、セメンヤ選手は「テストステロン血中濃度を低くするための投薬を受けなければ女性選手としての参加資格を以後認めない」との裁定を受け、一度は服薬してみたものの体調不良を起こし、欧州人権裁判所に人権侵害を理由に提訴している。

ここで、大きな矛盾に気づく。生まれた時からずっと男性として生活してきた者がある日突然、性自認を女性だと主張した場合のテストステロンレベルは10nmol／Lまで認められるのに対して、生まれた時から女性として扱われ女性として生活してきた者がある日突然「君のテストステロンレベルは女性平均より高いので投薬を受けてテストステロンを下げなければ参加資格はない」と言われ、５nmol／Lの基準を設定されたのである。

前者は一般女性の二十八倍以上のテストステロン濃度であり、後者は一般男性の半分以下のテストステロン濃度である。この基準が如何に不公平で「性差別思想」にあふれているかは、筆舌に尽くし難いものがある。

性自認で女性選手としての参加資格を認めるやり方はダメ

では、どのようにすれば公正な基準となるのであろうか。

実は、その人が生涯にわたって、女性ホルモンと男性ホルモンのどちらを多く受容してきたかを科学的に判別する方法がある。

二〇〇六年、イギリス人科学者のジョン・マニングが、人間の手の人差し指と薬指の長さの比率に性差があることを発見した。これをＤｉｇｉｔ Ｒａｔｉｏ（指比）という。人差し指の骨には、血液中の女性ホルモンに反応して骨が成長する機能があり、一方で薬指には血液中の男性ホルモンに反応して骨が成長する機能がある。つまり、その人がこれまで男性ホルモンと女性ホルモンのどちらを多く浴びてきたのか、指をみれば「成長史」が推定できるというのだ。

薬指が長ければ男性ホルモンを多く受容し、人差し指が長ければ女性ホルモンを多く受容していたことになる（ただし、この場合も例外はある。先に述べた副腎過形成症と二卵性双生児の兄弟がいた女性と妊娠中に母親が男性ホルモン剤を服用した女性と、自閉症スペクトラム障害の女性は薬指が長くなる）。

筆者は、「体は男だが、心は女」という人々、また「体は女だが、心は男」という人々が一定数存在するという事実について決して否定するものではない。しかし、オリンピックとはそれまでの人生で育んできた骨格と筋肉を使い全力で競うものである以上、「一年前」や「半年前」からのテストステロンレベルで参加資格を一律して制限する基準には、公平性を鑑みると疑義を容れざるを得ない。

そこで、今後前述した「指比」を判定基準にすることを提唱したい。性自認と指の比率をみればよいという明確さもさることながら、この基準が「性自認」が自身の生殖器とは異なるトランスジェンダー全般に対しても、適用できる理論であるためである。「生まれてからずっと高濃度のテストステロンを含んだ血液で脳を成長させてきましたが、性自認は女です」という主張と、「高濃度のエストロゲンを含んだ血液で脳を成長させてきましたので性自認は女です」という主張があった場合、どちらの信用性が高いかという問題に置き換える事ができ、「嘘つき」を科学的に判別できる可能性があるのだ。

いずれにしろ、性自認だけで女性選手としての参加資格を認めるやり方では、他の女性の権利を侵害する。特に、スポーツの成績は奨学金獲得の基準とされている。したがって、トランスジェンダーの人々が性自認だけですべてまかり通るようになれば、女性差別に直結する現実を否定できない。

しかしながら、オリンピック公式委員会がY染色体や生殖器ではなく、「血中テストステロンレベル」を性決定の基準に採用したこと自体は、大きな進歩であると私は考える。現在の日本の法律が、性器の切除手術を戸籍上の性別変更要件としているのも、元を言えば睾丸や卵巣が性ホルモンの分泌器官であるからだ。

「トランス女性は、副腎が肥大した女性の二倍のテストステロン濃度まで認められる」という現行制度は公平性の担保が無いので反対するが、指比とテストステロン血中濃度を「厳密」に検査すれば、「体の性と心の性が別」という問題の解決の糸口が見える可能性を否定できない。血中濃度に嘘はつけないからだ。

とはいえ、東京オリンピック参加が認められたニュージーランドのトランス女性（繰り返すがエストロゲンは骨の成長を阻害するのにこの選手は体重１３０㎏ 身長１８５㎝である）がいる一方で、「テストステロン抑制剤の投与を受けなければ参加は認めない」と言われて参加をあきらめた南アフリカの女性という対照的な二人の選手は、スポーツの歴史に暗い影を落とすことに違いないだろう。女性全般の平均値から割り出した統一基準が必要であり、「性自認」が科学的に合理的裏付けを持つものなのか「検証」する社会規範がいま必要である。

ノーテンキなリベラル男は「幼女」がお好き？

日教組系議員の妄言

令和三年六月四日付け産経新聞によると、立憲民主党に所属する五十代の衆議院議員が、性犯罪刑法改正に関する議論の最中「五十歳近くの自分が十四歳の子と性交したら、たとえ同意があっても捕まることになる。それはおかしい」などと主張し、女子中学生と成人男性の性行為を画一的に犯罪とすることに反対していたことが明らかになった。

また同月七日付け朝日新聞は、この発言主は立憲民主党所属の本多平直衆議院議員（日教組・日本民主教育政治連盟所属）であったと報道した。

極めてショッキングな報道であるが、ここで立憲民主党をはじめとする所謂リベラル派と、女子児童との性行為を好む性癖「ペドフィリア」の関係性について論じたく思う。

「女子児童と性行為をしてみたい」が8%も

まず、「小児性愛」とは何か。我が国の精神科医が患者を診断する際に使用する基準書「精神障害の診断と統計マニュアル」(通称DSM5)によれば、それは、性的倒錯(本来、生殖の目的を果たせない対象に対して性的興奮を覚えること)に分類され、医学的には「パラフィリア障害」という分類を受ける。例えば、女性の下着を集めたり、同意していない女性の着替えや入浴や排泄行為を盗み見たり、公共の場において自己の生殖器を女性に見せる行為、死体や動物との性行為、放火による性的興奮、人を解体して食べることによる性的興奮などパラフィリアには多様性があり、「小児性愛」(ペドフィリア)もこの中に含まれる。

これらの性的倒錯は複数混在している場合もあり、これが一九八八年から翌年にかけて東京や埼玉に住む複数の女子児童を強姦した後に解体して食べた警察庁広域重要指定117号事件の実行犯として死刑執行を受けた者など、有名な事件からも理解できる。

日本人の性的嗜好について統計調査をした『データブックNHK日本人の性行動・性意識』(日本放送出版協会)によると、平成十四年の時点で「女子児童と性行為をしてみたいと思うか」との問いに対して積極的に「してみたい」と回答した五〇代男性は、全回答者の八％であった。一方で、五〇代女性に男子児童との性行為を望んでいるか調査した所、「してみたい」と回答した女性は０％であった。つまり、二十人に一人以上の五〇代の日本在住男性は、女子児童との性行為を強く望んでいるという調査結果が記録されている（同書には日本人男性と記載されていたが、国籍確認の手法が記録されていないため、「日本在住」と表記する）。

こうした背景の中、立憲民主党所属の衆議院議員が当該発言に至ったものである。もちろん、平素から女性の人権を声高に叫ぶ所謂フェミニストらはこうした発言に対して沈黙を守り、また、立憲民主党自身はこの議員を当初は「撤回したから、それでいい」（福山哲郎幹事長）との姿勢だったが、六月七日夜になって一転、福山氏が本多氏を厳重に口頭注意したと発表した。しかし、当初、口頭で注意した程度で除名処分もしていないことから、同党の党是として小児性愛の有権者を意識した「政策」であると理解すべきであろう（その後、本多議員への党員資格停止処分が行われ、次期選挙の公認内定取消となったが、世論の圧力により、しぶしぶそうしたように思える。結局、本多議員は七月二十七日に離党届を提出し、議員辞職することを表明）。

実は、立憲民主党には成人男性と女子児童が性行為をする権利を強く守らなければならない政治的背景があるのだ。それは、同党の支持母体である日本教職員組合との関係である。日教組は、現在、組織構成員に対して投票すべき支持政党を立憲民主党であると公表している。では、その日教組と小児性愛にはどのような関係性があるのだろうか。

強姦教師が「転勤」で済む異常

平成二十一年九月十四日、広島地方裁判所は、十三歳未満の少女である十名に対する、強姦四十六件、強姦未遂十一件、強制わいせつ二十五件、児童福祉法違反（児童に淫行させる行為）十三件からなる罪状で、公立小学校教師である被告人に懲役三十年の判決を下した。

被告人は勤続二十年以上のベテラン小学校教員であり、これまで小学校の校舎内や授業中に反復して女子児童を脅迫して姦淫し、また自らの精液を飲ませるなどの行為を撮影していたため、度々勤務する小学校を「転勤」していた。そして、ついに被害届を提出した女子児童が現れたため、逮捕起訴されたものである（当該裁判はあくまで性犯罪被害を受けた屈辱に耐えながら被害申告がされた分である）。

この経緯を見て、読者は強い違和感を覚えられたことであろう。そう、我が国の公立小学校では、これまで教職員が女子児童を強姦し、被害児童の保護者から抗議を受けても懲戒免職されることなく、「勤務する学校を替える」というだけで済まされていたのである。つまり、当該事件のように極めて長期間にわたって複数の小学校で女子児童を強姦できてしまう環境が法制度上放置されていたのである。

公知の事実であるが、我が国では実際に教職員が女子児童を強姦して逮捕起訴されたとしても、教職員免許の再交付を受け、釈放後は再び女子児童のいる公立学校に勤務することが出来る。強姦教師の「働く自由」が保障されていたのだ。

安心して子供を通学させることもできないのか――

これほどまで、小児性愛者が「教職員」を続けられてしまう法制度上の根拠とは一体何か。日本国憲法は小児性愛者が性犯罪をしても再度児童に対する性犯罪を実行可能にする「職業選択の自由」を保障しているためである。今後、政府は「児童生徒性暴力等」による教員免許失効者の氏名や処分理由を登録する全国共通のデータベースを整える方向性で立法化が進められているが、ここまで進歩したのはつい最近のことであった。

つまり、我が国の公教育の現場および立法側に「女子児童と性行為をしたい八％」が多く存在し、その人たちの「人権」が擁護されていたため、このような法制度が戦後七十五年以上も継続していたと言えるのだ。

とすれば、この日本教職員組合を票田、すなわち支持母体とする立憲民主党所属の衆議院議員が、成人男性と女子中学生の性行為を保護する政治的発言をしたのは、個人の考えによるものではなく、党是公約の類であるとも考えられる。問題となった主張を強く繰り返した本多平直衆議院議員は、日教組の政治組織として設立された日本民主教育政治連盟に所属している。つまり、所属する組織の要望を代弁するという議員としての至極当たり前の仕事をしたのであって、同議員個人の問題ではない可能性がある点を強く留意されたい。

「小児性愛者」に対しては厳罰で臨め

では、今後望むべき法制度の展望はどのようなものにすべきだろうか。

一般に、刑法上の性交同意能力は十三歳以上であり、強制性交罪は十二歳以下であると法定強姦として自動的に成立する。しかし、民法上の意思能力は十五歳以上だと理解されている。民法に意思能力を定めた年齢は明示されていないが、例えば遺言の作成能力は満十五歳以上とされ（民法第961条）、これに倣い各自治体の印鑑証明作成も十六歳から認められるなど、おおむね十五歳を意思能力の完成としている。

しかし、明治時代に立法された刑法は十三歳を性交同意能力年齢と定めており、ほかの法律と整合性が無い。こうした背景を踏まえて、性交同意年齢を十五歳以上に引き上げる議論がいま為されているのである。

私は、女子の結婚同意年齢が長期間にわたって十六歳以上とされてきた実情に鑑み、性交同意年齢も十六歳とすべきであると考える。もちろん、世の中には五歳七カ月で正常な出産をしたことでギネスブックに登録されたペルー人少女リナ・マルセラ・メディナ・デの例もあるが、あくまで例外であると考えるべきであろう。

そして何より重要であるのが、実際に犯罪を実行した小児性愛者の処遇である。私は、絵画やアニメーションに描画された「少女像」はあくまで絵であるため小児性愛に該当せず、絵に対する規制は一切不要であると考えるが、実在の女子児童に対して性犯罪をしたものについては、成人女性に対する性犯罪とは一線を画した刑事罰を今後立法していく必要性が急務であると考える。

何故ならば、性的嗜癖が矯正できるとする医学的理由が現状では一切存在しないからである。前述した通り、小児性愛とは「パラフィリア障害」の一類型である。そして、この障害は診断して分類することはできるが、治療法は現在の医学水準では確立されていない。したがって、今後医学の進歩によって画期的治療法が確立されたならば話は別であるが、現状再犯を防ぐ手段が無い。このため、児童に対する性犯罪に対しては、通常の性犯罪よりはるかな重刑を適用すべく刑法改正を求めるものである。

本論冒頭で述べた立憲民主党の性犯罪刑法改正に関する議論（座長寺田学衆院議員）は、令和三年六月七日、性交同意年齢の引き上げについて反対意見が出たため、取りまとめを断念している。つまり、それだけ「性的願望」が強い党であったことの証左とは言えまいか。

尊重すべきは加害者の人権なのか被害者の人権なのか。二種類の異なる権利が対立したとき、尊重されるべきはどちらなのか。正義を心に宿す立場から迷う余地はない。児童を守る最短距離は、小児性愛犯罪者への重刑ただ一つであることをあらためて強く主張する。

日本が「男女平等 世界120位」なんて大嘘だ

日本より上位の国の女性残酷物語

スイスに本部を置く非営利団体の世界経済フォーラムが「ジェンダーギャップ指数」を発表した（令和三年三月）。日本の順位は百五十六カ国中、百二十位であるとランク付けされていた。これを受け、朝日新聞が嬉々として「男女平等 日本120位・G7で最下位『政治』『経済』低迷」「政治平等 取り残される日本」「賃金や待遇 経済も男女差・一般職と総合職『同じ業務なのに』」と、主要紙面を割いて「日本の女性差別」に焦点を当てた。さらに、自由民主党女性局長の吉川有美参議院議員までもが同指標を引用した上で「多様な考えや意見を政策に取り入れ、誰もが取り残されることのない社会を構築していく」とパブリックコメントを同党公式ホームページに発表した。

しかし当該ジェンダーギャップ指数には、日本よりもはるか上位の第五十二位にエスワティニ王国（旧スワジランド）があった。同国は十三歳から二十四歳の女性の三人に一人が強姦被害者であり、三分の一がヒト免疫不全ウイルス（HIV）に感染している。加えて、毎年「リードダンス」と呼ばれる祭典があり、約七万人の処女（女子児童含む）が一カ所に集められて上半身を露出して半裸になり、ダンスを踊ることで国王が新しい妻を選んでいる。ほか、同指標で日本より「女性が活躍する社会」であると位置づけられている上位の国の中には、女子児童に対して女性器を切除する強制手術（女子割礼）が行われている国もある。もちろん、女子の大学への進学など論外だ。

そもそも同指標を発表した組織は、二〇一八年の時点で女性参加者が二一％以下であり、組織運営費の高額出資者情報は公開が禁止されている。

また、二〇一四年には同組織主催の会議に中国共産党の習近平氏が参加し、チベット人とウイグル人らの抗議を受けている。同指標の第百七位には中国がランクインしているが、なるほど確かに特定の民族の女性を死ぬまで強制労働させている様子が「女性が活躍する社会」だと仮定するならば、日本よりも上位であることに納得がいく。結局のところ、このランキングは「女性虐待ランキング」の側面もあり、ある民族の価値観をもって別の民族の価値観を否定する人種差別を数値化したものに過ぎないとも言えよう。

上記のエスワティニ王国の「リードダンス」をめぐり、二〇一七年に一つの問題が起きた。この祭典は未成年者児童が上半身をあらわにして踊るものであるため、同祭典を撮影した動画がユーチューブでは投稿不可とされたのだ。これに対して同国人らが怒りの声を上げ、投稿不可の決定を取り消したことがあった。

内助の功は日本の伝統文化だ

一般的感覚として不思議であるのは、女性を学校に行かせないことや、児童の女性器を強制的に切除し、夫が死亡した際に妻も生きたまま焼くといった国々の深刻な問題をよそに、ジェンダー論の支持者たちが「日本では女性が妊娠すると会社を辞めるように促されるという大問題」を騒ぎ立てることである。これは、「ジェンダー論は伝統文化を否定するものではない」といった建前があるためだ。これを否定すると、ジェンダー論が同時にレイシズムを内包するからである。

そこでジェンダー論の標的にされた場合、全力で当該民族は「これは伝統文化だ」と反撃することで、防御できるのである。前掲の「ジェンダーギャップ指数」は、女性の会社役員の数が少ないといった項目を数値化しているが、これをわが国にあてはめて考えると「内助の功」という伝統文化があり、国際社会に対して「男性の労働を精神的かつ物理的に支援するのが日本人女性の役割」であるという伝統的価値観の説明を日本人が忘れていることから生じている。

たとえば「女性が活躍する社会」のアメリカでは、産休などという概念はない。日本のように五日間も出産で入院したりせず、アメリカ人妊婦は出産した翌日には退院して仕事に出なければならない。日本の社会的・文化的価値観を放棄して「外国の模倣をする」という知的退廃に陥れば、産休も不要ということになる。しかし、私たちは本当にそんな社会を目指しているのか、よく考えるべきだ。

日本人女性が「会社経営」をしたいと切に願っているのか、それとも会社経営をする夫を支えたいと願っているのかといった意思確認をすることなく、女性を労働させることを先進的であると錯誤したまま社会の舵取りをすれば、重大な問題が起きる。いや、それはすでに起きている。夫の収入のみで一家を養い、専業主婦として常に子供に寄り添うことができる社会を目指すのではなく、保育園を増設して父母の代わりに国家が子供を育てるという「旧ソ連型」の社会の建設に向かっていることに、私は恐怖を覚える。

そもそも、女性が活躍する場所を会社や官公署に限定している「多様性の否定」に私は警鐘を鳴らしたい。女性が活躍する場所は、社会であっても家庭であっても良く、その選択ができる社会にすべきである。専業主婦で育児に全力を注ぎたいと願う女性に対して、子供と接する時間を奪って労働させる社会を礼賛することや、出産を希望せず社会で働きたいと願う女性を家庭に押し込めることは、等しく狂気であることに気づかなければならない。

人種差別とジェンダー論との親和性

令和三年四月六日に愛知県半田市内を通過したオリンピック聖火リレーのコースに、伝統的に女人禁制の区間があり、聖火ランナーから警備担当の警察官、報道陣まで男性限定にしていることに対して「ジェンダー差別である」との批判が巻き起こった。ついにはオリンピック組織委員会から「ジェンダー平等に配慮する」との公式コメントが発表され、女性を参加させることに変更された。また一つ、流行りの表層的なジェンダー論の潮流に流され、日本の伝統祭祀が一瞬で破壊されたことになる。

しかし、その聖火の由来は、ギリシャのペロポネソス半島オリンピアで炉神へスティアーを祭る巫女(処女限定)によって行われた採火儀式だ。この儀式は「男子禁制」である。つまり、男女いずれかを禁制にする行為をギリシャ人が行えば「伝統」であるが、日本人が行えば「性差別」であると、オリンピック組織委員会は公式に人種差別の支持を表明したのである。開会前からなんとも気分の悪い話であるが、これこそジェンダー論が二十一世紀における新しい「人種差別思想」として実用化された例であると言えよう。

では、なぜ女性差別の大義名分が人種思想と結び付けて考えられるのか。歴史を振り返ると、アリストテレスの「野蛮人のあいだでは女性と奴隷とは同じ地位にある」（『政治学』山本光雄訳、岩波書店）という言葉にたどり着く。非文明圏では理性や知性ではなく、暴力がすべてを決めるため、女性の扱い方は極めて差別的である。

すなわち、女性差別を行うもの自体を被差別対象にできるという理屈だ。そこで自分たちの優位性を証明するためにも、敵対者が女性差別をしていることの立証が必要であり、人種差別とジェンダー論が強い親和性を持つに至る。こうして、あらゆる手段でプロパガンダが行われることになる。冒頭で問題視したジェンダーギャップ順位もその一つである。

女性を男にするのが平等なのか

巷に流布しているジェンダー平等の誤謬（ごびゅう）は、女性を男性化することだと考えられている点にある。ここでは女性が持つ特性は否定されることになる。

たとえば、英エリザベス女王は十九歳で陸軍名誉第二准大尉に任官し、軍用車両整備の軍務に服していた。現代でも欧州王室では伝統的に女性王族が軍隊に入り、銃の撃ち方の訓練を受ける。もし私がよくありがちなフェミニストだったならば、愛子内親王殿下が防衛大学校で軍事訓練を受けられることこそ、ジェンダー平等の実現であると主張していただろう。

しかし、女性の男性化が平等を意味するとは、私は考えない。男女の特質を尊重することが真のジェンダー平等であると固く信じる。

たとえば、私の実母は助産学の大学教授であり、日々助産師を社会に送り出している。わが国では助産師資格は女性限定であると法律で定められている。英米圏では男性助産師もいるが、なぜ本邦は助産師資格に性別制限を求めているのだろうか。それは、数時間から二十時間以上に及ぶ出産において、妊婦に長時間付き添い、妊婦の呼吸や眼球運動などの態様を観察してわずかな異変に気づき、予測される緊急事態を回避する能力は女性に特有であるとの経験則を持ったためだ。産科医はあくまで「何か起きたとき」に対応するものであり、「何か起きる前」に妊婦のそばで常駐するものではない。また育児においても、睡眠が半年以上断続的で、言葉を解せず泣きじゃくる嬰児の表情筋や所作を不眠不休で読み解き対応できる能力は、女性特有であることに疑義を挟む余地はない。

一方で、男性の特有能力は何か。たとえば、ドイツ空軍にハンス・ヨアヒム・マルセイユというパイロットがいた。彼は偏差射撃といって、時速五百キロメートル以上の速度で移動する飛行機の二秒後の位置を瞬時に計算して、その時点では何もない空間を銃撃し、二秒後に弾丸と敵機が重なり合い撃墜するという戦術を得意としていた。女性パイロットは数多くいるが、この偏差射撃ができる女性の話は聞いたことがない。

私が思うに、女性は知性に優れ理性に劣る。一方で男性は理性に優れ知性に劣る。知性とは現実を把握する能力であり、理性とは空間認識と未来予測をする能力である（カント『純粋理性批判』）と考えたとき、確かに、変動する株価や為替レートを予測する投資の世界で女性が最高額の儲けを出したことはない。一方、毎年の大学入試共通試験では女子の平均点が必ず男子に勝る。こうした男女の性差を尊重する社会こそ、真のジェンダー平等である。

家庭内で専ら家事育児をしたいと願う女性に対して社会での労働を強制することは、決して女性の地位向上ではない。「男は外で働き女は家で」といった旧来の価値観は、単なる誰かの思い付きで形成されたのではなく、かしこくも神武天皇が御国を建てさせ給いしときより二千六百八十一年の歴史と伝統により形成された「経験則」であることを再認識すべきではないだろうか。

差別されているのは男性のほうである

日本では、女性の権利を云々する前に、男性の権利が不当に抑圧されている。たとえば、令和三年四月三日付の中日スポーツで、日本将棋連盟の棋士橋本崇載(たかのり)八段の「子供を連れ去られた」という訴えが報じられた。現在、わが国の「実子連れ去り」が、国内のみならず、国際問題に発展している実情がある。

というのも、日本では母親が子供を連れ去るのは合法であるが、父親が子供を連れ去るのは犯罪として処罰の対象となるのである（最高裁判決平成十七年十二月六日・未成年者略取被告事件）。これは、育児をする権利は女性の特権であるという価値観をわが国が有しているからにほかならない。

この我が国の「男性差別」が国益を損ねる問題に発展したのは、外国人の夫との夫婦関係が破綻し、日本人妻が子供を連れて居住国から日本に帰国した〝事件〟が発端である。これは外国からすれば子供の連れ去りという犯罪であり、この問題に日本政府が真摯な対応を見せないというので諸外国から批判が集中し、対日感情の悪化につながった。

実は、現在インターポールから国際指名手配されている日本人被疑者の多くは、わが子を連れ去った日本人女性である。各国政府は、北朝鮮による拉致事件と同列視してこれを非難している。

もちろん日本人の感覚からすると、朝鮮労働党の卑劣な拉致と母親がわが子と共に帰国しただけのことを同次元で論じるのはあまりに不条理である。しかし、特に英米法では犯罪の動機ではなく犯罪の結果が重視されるため、北朝鮮による拉致も日本人女性による拉致も、被害者の視点からみれば「子供が家からいなくなった」という事実は共通している。そのため、遊ぶ金ほしさに盗みを働いても、貧困からつい他人のものを盗んだとしても「窃盗被害事実」に変わりはないのと同様、「拉致」という重い言葉で非難されることになり、これが日本の国益を損ねる結果を招いている。

児童虐待や配偶者間暴力などの事情も斟酌しなければならないが、裁判の事実認定を経ずに母親がわが子を連れ去り、父親と接触させないのは子供の心から父親の存在を消し去ろうとする最も悪質な児童虐待であると米国では考えられ、刑事処罰の対象となっている。にもかかわらず、これまで日本政府がハーグ条約（「国際的な子の奪取の民事上の側面に関する条約」）締結後も事の重大性を認識してこなかった背景には、本邦における「女性優遇思想」と「男性蔑視思想」があると思われる。

前掲のジェンダーギャップ指標とは反対に、国連のSDSN（「持続可能な開発ソリューションネットワーク」）が二〇一七年に調査した「世界幸福度ランキング」では、日本人女性が男性と八・一ポイント差で世界一幸福であるという結果になった。しかし、これを肯定的に評価するのではなく、日本社会ではそれだけ男性差別（女尊男卑）が横行していると批判的に見るべきである。

父母双方の育児する権利を保護する政策を打ち出し、子供の連れ去り事件は親の性別に関係なく捜査されるようにしなければならない。目に見える男性差別の解消が急務である。

ジェンダー平等が実現された社会

本論が批判する「ジェンダーギャップ指数」では、女性議員の割合が評価基準にされている。しかし、女性議員の多さと女性の幸福に因果関係はあるのだろうか。

わが国では昭和六年に、女性参政権法案が議会に提出され、衆議院で可決されたが、貴族院で否決され、大東亜戦争終戦後の昭和二十年、帝国憲法下でようやく女性参政権が認められた。翌二十一年四月に執行された衆議院議員総選挙では三十九名の女性議員が当選し、全議席の八・四％を占めた。これは同じ年のイギリス庶民院議員における女性議員（二十四名全議席中三・八％）より遥かに多かった。しかし、日本国憲法が施行されると女性議員の数は低下し続け、好景気の昭和五十五年に女性衆議院議員は一・八％となった。そして、平成十七年の衆議院議員総選挙で四十三人の女性議員が当選して九・〇％を占め、ようやく帝国議会における女性議員の割合を上回った。

この事実が示すものは何か。それは、愛国婦人会を結成し、女性たちがお腹を痛めて産み全身全霊で育て上げたわが子を戦争に捧げ、また勤労奉仕で飛行機や爆弾を製造した「社会参画」を有権者が評価した一方、平和な世の中になると女性の社会参画が必要ではなくなったことである。国が豊かになるほど女性議員が減り、反対に国が貧しくなると女性労働力が必要となり、女性の社会参画が促進され、女性議員が帝国憲法下の水準を取り戻した現実は否定できない。女性衆議院議員が一・八％だった昭和五十五年の専業主婦世帯は一千百万世帯以上であったが、女性衆議院議員が一〇％を超えた令和元年の専業主婦世帯は五百八十二万世帯に減少した。母親と共に過ごす時間を子供から奪う社会制度は、果たして誰の幸せのためだろうか。

女性の社会進出の割合は、女性の権利を守る上で重要な基準ではない。最優先で守るべき女性の権利とは、いつ、だれの子どもを産むかという選択権を女性が持つことにある。

というのも、人類は自然淘汰(とうた)に加えて性淘汰を行いながら進化してきた。生存に不利な遺伝子を排除して、有利な血統を女性が選択し、人類は進歩してきたのである。だから、女性が意に沿わない出産を社会的事情から強要され、また反対に出産の意思を有しているにもかかわらず、社会的事情から妊娠・出産の機会を喪失し、あるいは人工妊娠中絶を提言されることは絶対に防がなければならない。この意味で、近親相姦や強姦による妊娠、また母体の生命に危険が生じる妊娠の中絶のみ認め、そのほかの事情を理由にする中絶は米国の保守派の主張と同様に性差別禁止の観点からも一律禁止すべきである。

ジェンダー平等が実現された社会とは、男女双方の特性を尊重する機構を持ち、それを未来永劫守っていく社会である。そこで、保守主義の父エドマンド・バークの主著『フランス革命の省察』にある次の一節を紹介したい。

「世代間の連続性を喪失したならば、その者はひと夏の蠅（はえ）も同然である」（橋本琴絵訳、原書「MDB Oxford Editions」）

つまり、男女の権利保護とは、男女両性の存在目的である子供の健やかな成長を守るという目的のために行使されるべきであり、この目的外の権利主張は濫用であるとの価値基準を強く持たなければならない。ましてや女性の社会進出によって、時間と体力を失い、愛を育む機会を喪失して少子化が加速する政策は、保守主義の観点から見れば末恐ろしい女性虐待である。国家が正しい選択をしているならば、少子化という現象は起きないはずだが、現実には起きている。この結果を帰納法から考え、昨今のジェンダー論の誤謬を打破し、然るべき道義的国家としての日本を取り戻さなければならない。

美しい日本を破壊する「選択的夫婦別姓」

日本人の多くは「姓」と「氏」と「名字（苗字）」の区別がついていない

令和二年十二月八日、自民党の内閣第一部会と女性活躍推進特別委員会の合同会議において「男女共同参画基本計画案」が協議されたが、「選択的夫婦別姓」の了承は見送られることになった。高市早苗議員は「（夫婦別姓によって）子供の氏の安定性を欠き、夫婦間のトラブルの懸念がある」と主張した。

ちなみに、「選択的夫婦別姓制度」とは法務省のウェブサイトによれば「夫婦が望む場合には、結婚後も夫婦がそれぞれ結婚前の氏を称することを認める制度」で、メディアでは通常「選択的夫婦別姓制度」と報じられるが、法務省では「選択的夫婦別氏制度」と呼んでいる。それは「民法等の法律では、『姓』や『名字』のことを『氏』と呼んでいることから」だという（同ウェブサイト）。

実は、日本人の多くは「姓」と「氏」と「名字（苗字）」の区別がついていない。右の法務省のウェブサイトによると、「民法等の法律」も、「姓」と「名字」と「氏」を同義で使っているようだ。しかし、明治初期まで、この三つははっきり区別されていた。

簡単に説明しておくと、そもそも「氏」は祭祀や居住地によって結びついた男系の血縁集団を指し、それに公的地位・称号である「姓（尸）」を付け加えたものを「姓」と呼んだ。いずれも天皇から賜ったもので、たとえば藤原朝臣不比等なら、藤原が「氏」、朝臣が「姓」（藤原朝臣で「姓」）、不比等が「実名」である。やがて「氏」と「姓」が同一視されるようになり、さらに、藤原氏や源氏から分家が進んで「家」や「血族」の意識が高まると、天皇から賜与された本来の「姓」以外に、所領地の地名などから私的な「名字（苗字）」を名乗るようになった。

足利尊氏の本来の姓（氏）名は源尊氏であるが、あえて足利という名字（ファミリーネーム）を用いて足利幕府を開いた。代々の家系を表す「源氏」は「本姓」と呼ばれ、その代表的なものが源氏、平氏、藤原氏、橘氏で、この四姓を「源平藤橘」と総称する。

こうした変遷の後、明治新政府の下で名字（氏）の使用が全国民の義務とされ、それに先立つ明治五年（一八七二）に壬申戸籍が編纂された際、「藤原朝臣利通」が「大久保利通」と登録するなど、新政府の指導者たちがこぞって名字と実名を用いることによって「姓」「氏」「名字」の伝統的な違いと意味はほぼ失われた。

しかし、「氏」がそもそも男系の血縁集団であったこと、そこから誕生した「名字（苗字）」が、「家（ファミリー）」の「血族」意識によって生まれたものであることは重要である。

中国・韓国には「氏（名字）」（Family name）は存在せず、「姓」（blood name）のみがあり、夫婦別姓である。同じく日本でも、源平藤橘の「本姓」は結婚によって変わらない。しかし、これまで見てきたように、日本における「氏」とは家族単位をあらわすものである。それを夫婦別姓とすることは事実上の家族解体政策であり、わが国の「家族」という概念を破壊する目論見にほかならない。その理由を以下に述べたく思う。

法務省は「我が国における氏の制度の変遷」と題した特設サイトをインターネット上に開設し、「明治時代の日本は夫婦別姓であった」と、以下のように記している。

〈明治9年3月17日　太政官指令　妻の氏は「所生ノ氏」（＝実家の氏）を用いることとされる（夫婦別氏制）。※明治政府は、妻の氏に関して、実家の氏を名乗らせることとし、「夫

婦別氏」を国民すべてに適用することとした〉（原文ママ）

しかし、これは虚偽である。政府の一機関が不正なデマを発信することによって国民を欺罔し、特定の政治思想を実現しようとしている事実をまず指摘したい。

法務省が「明治時代、日本は夫婦別姓であった」ことの根拠として挙げている「明治9年3月17日 太政官指令」は、「日本法令全書」という政府刊行物に記載されているものだが、ウェブサイトに載せられているのは、その一部を改竄して抜粋したものである。では、全文はどのようになっているのだろうか。次に引用したい。


【明治8年11月9日　内務省伺】

華士族平民に論なく凡て婦女他家に婚嫁後は終身実家の苗字を称すべき分に従う筈のもの故婚嫁後は婿養子同一に看做し夫家の苗字を終身称すべきか。

【明治9年3月17日　太政官指令　回答】

伺之趣婦女人に嫁するも仍所生の氏を用ゆべき事
但し夫の家を相続したる上は夫家の氏を称すべき事

つまり、「婿養子は夫婦とも苗字が同じであるが、同じように婦女が嫁ぐ場合も一生涯同じ苗字にすべきか」という質問に対して、「婦女が嫁ぐ場合は別氏であってもよいが相続権は無い。夫の相続権を行使する場合は夫婦同氏である」と政府は回答しているのである。つまり、現在と同じく、内縁の妻は実家の氏（苗字）を用いよということである。

法務省は、「婿養子は夫婦同氏」と「相続権のない妻は夫婦別氏」（すなわち現在の内縁関係である）といった根本的な事情を意図的にトリミングし、国民に対して「明治時代は夫婦別姓だった」とする虚偽のプロパガンダを行っているのである。これは公序良俗を守るべき観点からも、重大な違法性がある。

「選択夫婦別姓」は「名字を発達させた日本文化を破壊するための人種差別政策」

なぜ「選択的夫婦別姓」をかくも推進したい勢力があるのだろうか。

前述したように、日本を取り巻く近隣諸国では、そもそも「氏」という概念が無く、「姓」のみがある。氏は婚姻契約や養子縁組契約によって新たに発生した「家族」を表すが、姓は血統的出自をあらわすものであるため、契約行為によって変更されない。

これに関連したよくある誤解で、日本の朝鮮半島統治の際に為された「創氏改名」とは、本来婚姻によって変更されない朝鮮民族の「姓」を「氏」とみなし、結婚した際は夫婦のいずれかの「姓」を同一の「氏」として名乗るように「強制」したものである。金氏と朴氏が結婚したならば、夫婦共々「金または朴を共通して名乗らなければならない」という強制である。俗に言われる「日本名への改名」は、裁判所の許可を要するため、強制以前の問題として容易に許可されないことであった。従って、軍高官に出世した朝鮮軍人（洪思翊帝国陸軍中将など）は、朝鮮名のまま日本陸軍の将軍を務めていたのである。

前にも触れたが、わが国では、封建社会の成立によって婚姻と養子縁組による財産移転が頻繁に行われるようになると、所領識別の必要性から「名字（苗字）」が誕生した。遠江国の国司として藤原氏が赴任して土着した場合、「藤原」が血統を表す本姓であり、遠江国の藤原氏である「遠藤」が家を表す名字である、といった具合である。徳川家康も正式には源朝臣徳川次郎三郎家康となる。「次郎三郎」は通称である。織田信長は平朝臣織田三郎信長。つまり平氏（平家）である。

源頼朝と北条政子は夫婦別姓などという俗説もあるが、源は姓であって、そもそも頼朝に名字は無かった。また、北条政子は四名いる頼朝の妻のうちの一人であり、婚姻契約を結んでいない。現在の内縁の妻が「夫婦別姓」であるのと同じである。

以上の事情を考慮すると、選択的夫婦別姓を主張する勢力の目的が見えてくる。それは、「近隣諸国の異文化を利用して日本文化を否定すること」である。文化の多様性は認められて然るべきであるが、それは自国文化の否定を意味しない。わが国には内縁によって夫婦関係を営み、遺言によって相続するパートナーシップを選択した人々が少なからずいる。

そうした背景を踏まえつつ、私は「選択夫婦別姓」は「名字を発達させた日本文化を破壊するための人種差別政策」と結論づける。

女性として森喜朗氏を擁護する

科学的事実は差別にあたらない

「女性の多い会議は時間がかかる」

令和三年二月三日の日本オリンピック委員会・臨時評議員会における森喜朗氏の発言を、マスコミ各社が女性蔑視(べっし)だと問題視し、ＥＵ諸国の駐日大使館が公式ツイッターで相次いで抗議の意思表示をした。発言は「知人の話の引用」であったにもかかわらず、森氏はついには会長職の辞任に追い込まれてしまった。ちなみにＥＵを離脱したばかりの英国は、この件には言及しなかった。

この一連の流れを見て私が真っ先に思い出したのは、昨年、中華民国元総統の故李登輝氏の葬儀に森喜朗氏が日本を代表して台湾入りしたときのことである。中華人民共和国において、台湾の地に足を踏み入れた者（政府高官など）を敵視しなかった例はない。

こうした事情から「森叩き」の政治的背景とその動機は明確に推認できるものの、それだけでは騒ぎがこれほどまでに広がった理由をすべて説明できるわけではない。

本稿では、騒動が大きくなった本質的原因の精神的解明をしつつ、改めて保守主義とは何かを論じたく思う。

森氏の〝問題発言〟は前段において女性の生物学的特徴の一つに言及し、後段において別の生物学的特徴を述べている。「女性のいる会議は長い（女性の話は長い）」というのが前段、そして、なぜかこちらはほとんどのメディアが取り上げないが、「女性の意見は的を射ている」との発言が後段である。発言全体に共通しているのは、いわゆる観念論ではなく、森氏の経験した科学的事実に基づいていることにある。

一般に差別とは、現実の経験則を無視したものである。たとえば、ナチスドイツはユダヤ人を人間ではないと定義した。しかし、科学的事実としてユダヤ人はホモサピエンスである。このことからもわかるように、世の中の差別すべてに共通するのは、科学的事実と相反する観念を抱き、これを現実に適用させようとする精神作用であると定義できる。

たとえば「女性は頭が悪い」という観念は、男性との知能指数の比較などから、全く現実には当てはまらない明らかな性差別であると断定することが可能だ。しかし、森氏の発言は、彼の独善的な観念ではなく、個別の具体的な経験則によるものである。これを差別と定義するためには、森氏の発言が科学的事実と矛盾することの立証が必要である。そこで、森氏の発言に対して科学的考察を加えてみたい。

森氏の「女性のいる会議は長い」とは、女性の話自体が男性に比べて時間的に長いとの意味であると解することができる。

そこで、言語能力を使用する際に必要な脳機能の「ブローカ野」がある前頭葉、および「ウェルニッケ野」がある側頭葉の性差を比較してみると、女性の大脳新皮質は男性よりも物理的に厚いという生物学的特徴がある。これは物理的な事実である。すると、その分、ニューロンの総数が物理的に多く、これを通過する電気信号は男性より長い道のりをたどることとなる。速さが同一で道のりが長ければ、そのぶん時間が必要になるのは当然である。

さらに神経伝達物質のドーパミンが脳のシナプスを通過する作用も発話に必要であるが、男性よりも女性が多く分泌受容する女性ホルモンのエストロゲンには、ドーパミンを抑制する作用があることで知られている。

以上の生物学的特徴を踏まえて森氏の発言を評価すると、女性の話が長いのは生物学的事実であり、そこに善し悪しの評価を加える余地はない。女性が話も長ければ風呂も長いのは事実である。

女性は思考や動作の速度よりも正確性を優先する。短絡的思考によって自然犯（殺人・窃盗など社会や時代に関係なく悪と考えられる犯罪）に手を染めるのは、全世界的に男性が圧倒的多数を占めるという現実がある。だから森氏は、女性が速度よりも正確性を優先させる事実を「女性の意見は的を射ている」と端的に述べただけであって、そこに観念は入り込んでいない。男性に比べて話す速度が遅いといった現実は、女性の属性であり、その属性に対して観念上の善し悪しの判断を加えることそれ自体が、深刻な性差別である。

我々が価値観を共有すべきはEUか英国か

ここまでの議論を踏まえ、本論冒頭で述べたように、なぜEU諸国が森氏発言に抗議した一方、英国が同調しなかったのか分析をしてみよう。

この騒動の特徴は、EU加盟国の駐日大使館が抗議の意思表示をした一方、英国圏は沈黙を守っていた点にある。

仮に、森氏の発言が女性蔑視であるとするならば、女性という生物学的属性に対する差別ということになるから、そこに地域差はなく、普遍的な価値観が存在するはずである。しかし、現実として抗議の意思を示したのはヨーロッパ大陸諸国に限定され、英国圏からの批判の声はない。これは、ウイグル人ジェノサイドに対する抗議声明発表の有無と全く逆の構図を持つことに留意されたい。EU諸国は森喜朗氏の発言が女性差別だと騒ぐ一方、英BBCなどが報じた強制堕胎や集団強姦という深刻な女性差別を含む中国政府のジェノサイドに対しては本稿（雑誌）執筆当時（二〇二一年二月下旬）では無言を貫き、英国のようには強く非難していなかったのである。

なぜ、こうした現象が生じるのであろうか。これは、英国とEU諸国の歴史的哲学観が全く異なることが原因である。今後、日本が価値観を共有すべきは果たしてEU諸国なのか、英国なのか。それを明らかにすることで、森氏の辞任騒動が表徴する現代日本の歪み（ゆが）を是正すべきだろう。

一般に、欧州大陸とイギリスは哲学上、明確に分離している。欧州大陸はアリストテレスに始まる理性主義を基調にした合理論を発展させ、イギリスは理性よりも上位の概念として人間の経験能力を置いた。頭の中だけで組み立てた理屈よりも、人間が実際に経験した情報に価値があるとしたのがイギリス経験論である。

十七世紀初頭に刊行された『ノヴム・オルガヌム』（ベーコン著／桂寿一訳）には、次のような一節がある。

「印刷術、火薬および航海用磁針は世界を変革したのに比べて、帝国とか宗派とか星座とかがより大きな影響を及ぼしたとは見えない」（一部要約）

つまり、経験の積み重ねによる自然の法則の理解のほうが、人間の思弁よりも大きな影響力を持つと述べたものである。

当初は物理化学分野に適用された経験論はその約百五十年後にエドマンド・バークによって保守主義として発展した。経験論を政治分野に適用したものを保守主義という。

このことから、森氏発言をEU諸国が非難し、英国がしなかった背景が理解できる。つまり、EU諸国は観念において「女性像」があらかじめ設定されており、森氏の発言はその観念と一致しなかったため、非難を浴びせたのである。一方で、英国は経験則において女性像をとらえており、森氏発言はその経験則に反していなかったのである。ウイグルのジェノサイドに対する中国への非難の高低も、何らかの観念（まさかそんなことをするはずがない等）に支配された欧州大陸と、経験をありのままに認識した英国との違いがある。

女性観でいうならば「女性はこうあるべし」との現実と乖離した観念論があり、昔の「女は家庭にあるべし」が、今日では「女は男のように扱うべし」に変化したに過ぎない。その根底には「観念上の女性像を現実の女性に適用する」という相も変わらぬやり方がある。

そして、観念と現実の像が大きく乖離しているため、深刻な性差別の根源である「過ち」を犯すことになる。女性の話が長いという現実の経験則を否定し、そこに「話が長いということは悪いことだ」という解釈を加えた観念論を森氏発言に適用させたのである。

男女を同一視する新たな性差別

これではいくら経っても人は進歩せず、誤謬や迷信の中で生きることになる。人類の発展に寄与した発明はつねに英米でなされた。蒸気機関、電球、抗生物質、インターネットが英米の文化圏で開発された背景には経験論を採用した伝統がある。

経験を否定した観念論は、反自然主義の小説のように、物語の中で楽しむべきものである。しかしながら、「舞姫」などの反自然主義小説を著して才能を発揮した森鷗外が、軍医総監・森林太郎として「脚気には病原菌が存在するはずだ」と医学に対して観念論を適用し、兵隊にビタミンB群を含む麦飯を食べさせて脚気を克服した海軍の経験を採用せず、結果として万単位の戦病死者を出した現実が指し示す通り、経験を超越した観念論は恐ろしい事態をしばしば招く。

他にも観念の暴走は数多くある。萬世一系のわが國體とは「経験」であるが、これに対して女系天皇であるとか、第一男子の悠仁親王殿下の皇位継承権を剝奪して愛子内親王殿下を天皇陛下にすべきだとする発想は、まさに経験を否定した観念論の産物だといえよう。

話を男女論に戻すと、そもそも「男女平等」という概念自体が、経験は男女で等しく共有され、そこに性別による差異はないという発見から発展した概念である。水は摂氏一〇〇度で沸騰するという現実を経験するのに男も女もない。しかし、欧州大陸の女性論は、あくまで男性に対するアンチテーゼの観念から出発しているため、男女平等と言いつつその実態は男性優位が女性優位に置き換わっただけである。

現実の経験として男女は生物学的に異なる特徴と属性を持つ。この現実を受け入れ、女性を男性化させる近年の性差別思想に保守主義者は団結して立ち向かわなければならない。

大和魂とは経験論である

これまで性差別に対する理解を巡り、イギリス経験論の本質と欧州大陸の観念論とは全く相容れないことを述べた。では、これに関するわが国の思想の本質とは何だろうか。

十八世紀末から十九世紀初頭にかけて本居宣長が著した『玉勝間』は、皇国の精神の本質すなわち大和魂を正確にとらえている。ここで次の一節を紹介したい。

「漢意とは、漢國のふりを好み、かの国をたふとぶのみをいふにあらず、大かた世の人の、萬の事の善悪是非を論ひ、物の理をさだめいふたぐひ、すべてみな漢籍の趣なるをいふ也（中略）是とする事、實の是にはあらず、非とすること、まことの非にあらざるたぐひ」（村岡典嗣校訂）

本居宣長は、事物を「ありのまま」受け取り解釈を加えないことの重要性を説いた。これは経験論である。大陸の思想法を用いて考えることは、特に中華思想を好むということではなく、何事も現実に対して解釈を加え、観念論において理解する認知法を「漢意(からごころ)」と本居宣長は定義し、わが国に相容れないと批判したのである。

これは、本居宣長の次の一句にも読み取ることができる。

「しき嶋のやまとごゝろを人とはゞ朝日にゝほふ山ざくら花」

つまり、大和魂とは、万物をありのまま受け取り認識することである。朝日に輝く山桜の美しさを認識して感動する心に男女の差はなく、人間の解釈や観念論が入り込む余地は一切ない。大和魂に性差は無い。

人間の解釈は誤謬にあふれている。人間の思考では万物を推し量ることはできない。しかし、人間の経験則は万物を正確に認識することができる。ここにジョン・ブル魂と大和魂の本質的近似性を見出せるのである。

頭で考えた観念を現実に適用させる、今日でいう「認知バイアス（偏(かたよ)り）」を排除することにこそ、国家繁栄の礎(いしずえ)がある。一方、森氏発言への批判は認知バイアスそのものであると言えるだろう。

文明の性質を表徴する神話においても、アダムの肋骨からイブが生まれたとする話は「女性は男性の従属物である」との観念を表している。

一方で、日本神話のイザナギとイザナミは対等な立場で恋愛をして夫婦となっている。欧州大陸の女性観念論をわが国に適用するべき理由は毫(ごう)もない。現代において主張されている性差別とは、本質的問題というよりも、女性個人の能力や性格によって社会生活に困難が生じた時、その原因を「性」に求めようとする責任転嫁が根底にある。女性であることが問題ではない。個人の属性に問題があるのである。これは、障害や性的マイノリティーや民族問題にも当てはめることができる。

つまり、女性だからとか同性愛者だから良い、悪いといった観念上の価値判断を加えることが差別の本質である。女性も同性愛者も現実としてそこに存在する。その存在を知覚して認識すれば経験となり、それ以上でも以下でもない。

たとえば、森氏発言を女性差別だと非難したドイツは、かつて同性愛者を処刑し、戦後になっても刑務所送りにしていた歴史を持つ。ドイツは「同性愛は悪」という観念を「現実」に適用していた。その激しさの度合いが戦前は苛烈な処刑であり、戦後は懲役刑となって表れたに過ぎない。この延長線上で「女性」という存在に経験を無視した観念を適用しているのである。

しかし、わが国は同性愛に対して善し悪しの観念を適用させたことはない。従って、昔から同性愛者はテレビに出演しており、同時代のドイツなら刑務所送りの同性愛者向けポルノに対する法的規制もなかった。同性愛者に対する善悪の観念自体が存在しないからだ。

一方で現在、中東の主権国家が同性愛を死刑に処すべき凶悪犯罪と認めてソドミー法を定め、実際に同性愛者を処刑しているのも、現実の経験（同性愛者の存在の認知）に対して観念（宗教的観念）を適用している現象である。しかし、わが国はこうした観念と全く無縁である。

シモーヌ・ド・ボーヴォワール（一九〇八―一九八六）の「人は女に生まれるのではない、女になるのだ」（『第二の性』生島遼一訳）という言葉は、まさに「科学的経験則を否定する観念」のあらわれと言える。科学的には女は生まれる前から女である。

先天性副腎過形成症という病気があり、「テストステロン（アンドロゲン）という男性ホルモンが大量に分泌されて、自身の脳がテストステロン（アンドロゲン）被曝（ひばく）する女性」が医学的事実として存在するが、この疾患は日本では一九八八年以降に生まれた者だと出生後ただちに検査して治療することができる。しかし、ボーヴォワールが生まれた当時には現代のような医療技術は確立されていなかった。この症例の善し悪しを論じているのではない。この症例は現実として「そうなる」のだ。

この現実は再現性があり誰でも認識して経験できる。経験に善し悪しの価値判断を加える観念こそが差別なのである（経験の評価は実用的か否かが唯一の価値基準である）。経験より観念を優先させれば「歪み」が必ず生じる。差別とは観念による現実の否定であり、観念に合致しない現実のことではない。こうした観念の暴走を、経験則に従って批判するのが保守主義である。誰かの気分次第で他人の人格権を否定し、社会的抹殺を試みることは法を基調とする文明社会では到底許されることではない。

森喜朗氏を私は女性として、また保守主義者として擁護すると同時に、森氏を批判した者こそが現実の女性を否定する性差別主義者であると断言する。

保守女性はオジさまがお好き

保守主義は、国家主義や軍国主義とは一切関係なく「経験の相続」のこと

十八世紀イギリスの哲学者デイヴィッド・ヒュームは主著『人間本性論』（A Treatise of Human Nature）において、「善」について次のように論じている。

善は「存在していること」によって証明される。なぜならば、間違った行為をした者はその行為を原因にして消滅するため、現に存在しているということは正しい行為を選択できた証であり、正しい経験則を有していると帰納的に言うことができる。

現代を例にとると、「イスラム国（ＩＳ）」は、女性を奴隷として売買することを認めていたが、その非人道的な選択は先進各国の怒りを買い、彼らが地球上に存在することを認容しなかった。間違った経験則を有していたため、存在することができなくなったのである。

一方、わが国の天皇は悠久の歴史を持ち、大東亜戦争という国難にも耐え、いまなお揺るぎなく存在している。これは、正しい選択をした経験則を有していることを証明するものである。かつて地球上に乱立していた多くの王家は現在ほとんど断絶しているが、それは間違った経験則をもっていたため、存在することが許されなかったからである。

ヒュームはフランシス・ベーコンやエドマンド・バークと並ぶイギリス経験論の代表者であるが、そのイギリス経験論から「保守主義」という政治思想が生まれた。保守主義はイギリス経験論と親子の関係にあり、保守主義を信望する者にとって、何より魅力的なのが「正しい経験則」である。

然るに現代では、単に国家主義的な傾向を「保守」と呼ぶなど、論者が独自の見解で保守を名乗りあるいは批判し、保守主義の定義があいまいになっている嫌いがある。ここで改めて保守主義の系譜を明徴にしておく必要があるだろう。

イギリス経験論の礎を築いたのは、「帰納法」の哲学を確立したベーコンである。そして、ヒュームが経験を源泉とする道徳の在り方を定義し、最後にバークが政治学の分野にイギリス経験論を適用して、国家の経験則の「貯蔵庫」たる国王を斬首（ざんしゅ）したフランス革命を痛烈に批判した。

主著『フランス革命の省察』でバークは、前述したように、「世代間の連続性を失ったものはひと夏の蠅も同然である」と述べ、動物と人間を峻別するものは「経験の有無」にあるとまで断言した。確かに、人間以外の動物は経験を学習・継承しないため、原始時代を永久に繰り返すのである。「野蛮人の三十歳と文明人の三十歳の違いはギリシャ文明から連続する叡智を引き継ぐか否かにある」と指摘したのは米国の哲学者ジョン・デューイである。

一個人が正しい経験則を蓄積し、それを教育によって次世代が継承する。その連続性を文明という。いま私が使っている言語に、私が発明したものは一つとしてない。過去との連続性から学んだ日本語を使っているのである。

つまり保守主義とは、国家主義や軍国主義とは一切関係なく、「経験の相続」にその目的がある。君主を尊ぶのは、君主こそ「経験」の正当な継承者を意味するからだ。国家とは、悠久の昔から受け継ぐ経験の容器である。従って、革新主義が一気に何もかも変えてしまうのは、経験則の破棄であって、人間が動物に転落する第一歩であり、旧共産圏が例外なく人道に反する行為を平然としている野蛮性を持つ理由でもある。

相続すべき経験とは、言語、文化、王権、道徳、歴史、宗教など、多岐にわたる。これらすべてが過去の遺産であり、これらを相続して次世代に伝えるのが保守主義の目的である。従って、「善」の経験則を否定し、ましてや不正を許容する精神性は、いくら口では保守を名乗っていても、その実態は革新の一派であるに過ぎない。

保守主義の女性が年上の男性を好むのは、以上の理由による。

若い男性は確かに元気だが、近い将来もその男性が「存在している」かどうかはわからない。無謀なふるまいや悪行によって破滅する可能性を内包するからだ。しかし長い年月を経てなお「存在している」壮年の紳士は、正しい選択の経験則が蓄積されていることを示している。

長い人生において不正を受け入れ、正義の信念を投げうった者は、社会において存在し続けることは難しい。しかし善良な選択の連続の上に自らの経験則を形成した紳士は、その存在自体がこのうえない魅力を放つ。若く経験の浅い保守女性は、そこに惹かれるのである。

エーリッヒ・フロムは『愛するということ』で、愛を次のように定義している。

「女性は受け取る性であり、男性は与える性である。知識、金銭、そして遺伝子をも」

だから、経験を欲する保守女性はおじさまが好きなのである。

夫婦別姓をめぐる〝反日教〟の丸川珠代イジメ

社民党・福島瑞穂議員の意図的な嘘

丸川珠代男女共同参画担当大臣が選択的夫婦別姓に反対する書状に署名していた事実をめぐり、与野党の攻防が繰り広げられた（令和三年三月三日の参議院予算委員会）。だが、この議論には一般的な「政治的議論」とは異なるものがあり、私は強い違和感を覚えた。

社民党の福島瑞穂議員は「一般人は（旧姓の）通称使用も難しい」と述べて丸川大臣を非難した。しかし、夫婦同氏が合憲であると判断を下した最高裁の判決（最判平成二十七年十二月十六日）には、「夫婦同氏制は婚姻前の氏の通称使用を許さないものではなく婚姻前の氏を通称として使用することが社会的に広まっている」とある（令和三年六月にも同様の決定が最高裁で下った）。すでに通称使用が日本社会で広く認められているため、あえて夫婦別姓にする社会的利益はない。それを合憲の理由としているのだ。判例も読まずに議員が質問をするはずがない。元弁護士の福島議員はあえて虚偽を用いて国民を欺こうとしたのである。

にもかかわらず、英BBCは丸川議員の役職に触れた上で夫婦同氏への賛成を「男女平等の実現にあるまじき行為」と非難を加え、本邦各メディアもこれに倣って痛烈に丸川議員を非難した。

また前日の衆議院予算委員会では、鬼木誠議員が答弁の中で、大臣政務官として丸川環境大臣（当時）とともに二〇一五年のCOP21に参加したとき、「各国首脳からアジアンビューティーと呼ばれ大変人気があった」と丸川議員の容姿に触れたところ、野党から激しい非難が巻き起こった。容姿に言及するのは、ルッキズム（外見至上主義）に当たるというのだ。

このように、夫婦別姓の議論や女性の容姿への言及に対する極度に情緒的な非難には合理的理由を見出せないどころか、異様ともいえる違和感がある。この違和感には、文明社会の一般通念とは相容れない宗教的観念――たとえば男性と交際した娘を父親が殺害したり、政府が同性愛者を処刑したりといった異国の話を聞いたときと根底で通じるものがある。

本論ではこうした違和感の正体について分析し、昨今増加しつつある、いわゆるフェミニズムやジェンダーフリーの類の主張が科学文明を基調とする私たちの社会とは相容れないものであるとの批判を加えたく思う。

ジェンダーフリーは進化の亜流

人間は五十メートル離れたところから見ても男性か女性か識別できるが、マカク属の猿を五十メートル離れたところから見て、それが雄か雌か判別できるだろうか。いや、できない。それは、猿は人間ほど性差を進化させていないからだ。単純な話、チンパンジーに乳房はないが、人間の女性にはある。乳房はエストロゲンなどの女性ホルモンによって発達する。エストロゲンは脂肪の代謝に大きくかかわる物質だ。そして、脳そのものが脂肪である。人間以外の動物は、生殖器以外の性差を肉体に発現するエストロゲンなどの性ホルモンが、人間と同じようには分泌されない。

なぜ人には顕著な性差があるのだろうか。それは食糧獲得が困難な自然界において、両性が協力して生存していく進化の方向性が自然選択されたからである。両性の協力とは、男が外で食糧を獲得して女に供給し、女は家で子どもを育てつつ男の世話をすることである。

男が女程度の筋肉しかなければ狩猟ができず、反対に女が男と同等の筋肉と骨格を持っていたならば、それを維持する食糧がそれだけ必要となる。しかし両性が協力し合う前提で性差の進化を遂げたならば、女の筋肉や骨は少なくて済み、それを維持するカロリーも少量で足りる。つまり生存競争に勝利しやすいのである。

もし爬虫類（はちゅうるい）のような、両性が交尾以外に接点を持たない生物であれば、体の性差は生存する上で不利に働く。両性が協調し合う前提がなければ、雌も自ら食糧を獲得しなければならない。そのためには雌も雄に負けない大きな体が必要になる。

そう考えていくと、冒頭で述べた選択的夫婦別姓やジェンダーフリー論に対する強い違和感の正体がおぼろげながら見えてくる。人間とは顕著な性差をもつ生物であるにもかかわらず、その性差をヒステリックに否定するのは矛盾がある。人類の進化に逆行するその思想を政治学分野から説明することは難しいが、人類学の立場から考えると一つの答えが浮かび上がってくる。

人類学者のクリストファー・ストリンガーは主著『ネアンデルタール人とは誰か』（河合信和訳、朝日選書）で、「新しい時代のネアンデルタールよりも古い時代のネアンデルタールのほうがホモサピエンスに近い形態を持つ」旨を述べている。古ければ古いほど、原始的な形態をしているはずだと考えがちであるが、現実は逆であり、古い地層から発見された化石ほど人間に近く、新しい地層から発見された化石ほど人間とはかけ離れているのである。二十世紀までネアンデルタールは人間の祖先にあたると考えられていたが、遺伝学の発達によって両者は別種であり、祖先と子孫の関係にないと判明した。

つまり「人間の祖先」と「ネアンデルタールの祖先」が分岐して間もない時期には両者はよく似ていたが、年代を経るごとにネアンデルタール人は「人間とはかけ離れた姿」に変化した。ある時代のある場所で、人間とはまったく似ていない者が生まれて繁殖した。それが、「ネアンデルタール」という別種になったのである。なお、ネアンデルタールには生殖器を除いて人間と同じような性差はない。

「人間への道」から分かれて亜流の変化を遂げたグループは、実はネアンデルタール人だけではなく、デニソワ人など今日ではかなりの種類が発掘されている。人類学の視点から見ると、このような「次の異種族」が今日、いまこの時代に生まれていないとは、誰も断言できないのである。「性差を進化させて自然適応した人間」という進化の本道から外れた亜流、それがジェンダーフリーの正体ではないのか。

では、こうした亜流に対して政治学はどのように対応していくべきであろうか。

男性の崇高さと女性の美しさ

保守主義の父エドマンド・バークは、一七五七年に刊行した『崇高と美の観念の起原』（中野好之訳、みすず書房）の中で、形成された観念は、性差といった実体上の事実に由来するものだと説明している。

「崇高な対象はその容積において巨大であるに反し、美の対象はそれが比較的小さい。（中略）この両者は一方が苦に依拠し他方が快に依拠する点で全く相反した観念である」

バークは、「美しさ」とは小さく女性的であり、人の心を満足させ、性愛の対象となり得ると述べる一方で、「崇高さ」とは大きく男性的であり、人の心を畏怖させ、死を意識させ得る対象であると説明する。こうした観念は、実は科学的経験則と矛盾しない。生物学的に女性ホルモンのエストロゲンは骨の成長を阻害して身体を小さくし、また精神の興奮を抑制する。一方で、男性ホルモンのテストステロンは骨や筋肉を成長させて体躯を大きくし、かつ精神の攻撃性を喚起するからである。

同様の性差観はわが国にもある。賀茂真淵が『万葉考』で示した古代日本の万葉歌にみる「益荒男振り」や、本居宣長が『源氏物語玉の小櫛』で示した平安文学のひらがな使いから見出した「手弱女振り」にも、その近似性が読み取れるのである。

こうした保守的観点に共通するのは、現実の科学から乖離することなく、経験則と矛盾しない範囲で観念を形成している点である。言い換えれば、私たち人間は現実世界と合致しない超越した観念に違和感を強く覚える。もちろん中には、女らしい男や男らしい女も一定数いるだろう。しかし、そうした存在が人類の発展に寄与した経験を私たちは持たない。だからこそ、既存の経験則を帰納的に抽出した観念に安心感を覚え、男らしさと女らしさの強調に共感するのである。私たち人間は、男は外で働き、女は家を守ることに特化した身体を現実として授けられている。人間である以上、人種や民族を問わず、男女には身長差と筋肉量の違いが性差としてあるのだ。まずは、こうした現実を再認識した上で議論を始めなければならない。

わが国の女性観

私がイギリスに留学していたとき、さまざまな国の人たちから「日本人の女性観」について聞かれたが、それに対する私の答えにとても驚かれたことがある。

たとえば私が「日本では法律で生理休暇が認められている」と言うと、イギリス人もフランス人もイスラエル人も日本の先進的女性保護政策に驚愕した。中には疑う者もいたので、「労働基準法第六十八条で生理日の就業が著しく困難な女性に対する措置が認められ、違反すれば罰金刑となり（同法第百二十条）、医師の診断書は不要（昭和二十三年五月五日基発第六八二号）である」と説明すると、諸外国の女性たちは目を丸くした。

そのほか、日本には女性しか入学が認められない医大があり、未成年の少女が経済的な購買力を持つことを前提にした少女漫画という市場があること。また女性が成人すると一万ドル以上の価格の女性専用民族衣装が庶民であっても買い与えられ、出産するとたとえ死産であっても一律四千ドル以上が国籍・人種・民族・宗教を問わず必ず支給され、おまけに毎週水曜日は女性だけ映画館の入場料が割引かれる、といった日本の女性諸事情を述べると、世界中の人々がさらに驚いたのである。

選択的夫婦別姓が世界各国で採用されたのは、女性が結婚後も生家の氏を名乗る「入婿」という制度がそもそも存在しないための措置であったが、わが国では婚姻時に夫婦どちらの氏を名乗ってもいいとする「選択的夫婦同姓」であることを紹介すると、これにも驚かれた。国際的な視点でみれば、わが国は明らかに女性を大切に扱っている。それは、近代に始まった話ではない。封建体制下においても、同様であった。

たとえば、喜田川守貞が天保八年（一八三七）から三十年にわたって記録し続けたわが国の文化風俗事典『守貞謾稿』（朝倉治彦・柏川修一校訂編集）の第一巻には「幕臣ハ奥様ト称シ（中略）中民以下ハ御カミ様ト称ス」という記述がある。武家の本分は戦闘であるから、女性の義務は出産のみ。したがって寝室がある家の奥にいるのが「奥様」である。一方、庶民の妻は出産育児、家事に加えて農業・商業など家業を手伝うので、男性よりも果たすべき義務が多い。現代でも、多くの女性はパートタイムなどで働き、夫の収入不足を助けつつ家事育児をこなす。だから、家の中で一番偉い「カミ」の称号を得たのである。

カミとは、大和言葉で至上を意味する。当時の行政区分は四等官制度といい、長官と書いて「カミ」と読むし、地方行政庁の長であれば「守」と書いてカミと読む。天皇陛下が世の中で一番偉い人であるとの意味が現人神である。女性は、家庭内におけるカミとして扱われ、その呼称が現代でも一般的に使われている。それが日本の実情である。では、こうした女性優遇国・日本において、西欧発祥の女権主義を主張する動機の本質とは果たして何か。

反日主義としての女権主義

結論から言えば、女権主義を掲げてわが国の諸体制を非難する根底には、日本人という存在に対する憎悪があると本論は分析する。

女権主義とは、もともとアルコール依存症の夫や父親から日常的な暴力を振るわれ続けた女性たちの互助から出発した自己防衛の思想である。ゆえに、そのような過酷な歴史的背景を社会全体として持たないわが国に女権主義を持ち込むことは、専制君主による圧政からの解放を目的とした革命思想をわが国に持ち込むが如く、そもそもの前提を欠いている。

にもかかわらず、日本の伝統的制度を攻撃する手段として採用されている理由は、結局のところ日本人への憎悪を煽ることができれば、それが共産主義であろうとフェミニズムであろうと手段を問わない「反日主義」がその背景にあるからだと思われる。

単純な例をあげれば、フェミニストは女子が現行制度上は天皇に即位できないことを声高に批判する一方、女性がローマ教皇になれないことは決して批判しない。こうした非対称性からも、女性の権利保護の外観作出とは裏腹に、その実態は単なる反日の人種思想であることがわかる。その思想の本性に気づけない浅はかな層が、いま家族解体政策である夫婦別姓（女性は家族ではないと定める女性差別の制度化）を叫んでいるのである。

その悪意は苛烈だ。前述したように、たとえば、学者は「氏」の概念がまだ存在しなかった古代の戸籍を持ち出して「古代は夫婦別氏だった」と悪質なプロパガンダを行い、法務省の官僚は明治九年三月十七日に発令された太政官指令が「（妻が）夫の家を相続した場合は夫家の氏を称すること」（法令全書明治九年一四五三頁）と、法律婚で結ばれた夫婦は同氏であることを定めた法令を改竄して公式ホームページに掲載し、夫婦がお互いに相続権を持たない内縁関係の規定を持ち出して「明治初期は夫婦別氏だった」と国民を欺罔する反日活動をしている有様だ。これは過去の話ではない。「現在」の話なのである。

中・韓の伝統をわが国に押しつける究極の狙い

冒頭で述べた丸川珠代議員への個人攻撃に対し、夫婦の氏の在り方について丸川議員は次のように答弁した。

「家族の一体感について議論があって、これは家族の根幹にかかわる議論だなという認識を持った」

これは、的確な分析である。そもそも氏とは、不動産登記制度がなかった時代、物権を証明する目的で名乗られた。たとえば、源義重が上野国新田荘（現在の群馬県太田市・桐生市周辺）を開墾して田畑にすると、以後は新田義重を名乗り新田氏の祖となったのである。古来、日本は公地公民制といってすべての土地人民は天皇の所有とされていたが、七四三年に墾田永年私財法が施行されると、物権が法的に認められるようになり、以後、開発した土地を名田と呼び、名田を多く実効支配した者を大名田堵と呼び、後世の紛争に勝ってより多くの名田を得た者を守護大名と呼び、この中から島津氏のような戦国大名、そして江戸時代の大名に成長した氏が出現したのである。

名田の開発は、浮浪者などを大量に集めて開墾した例もあるが、一般には夫婦が共同作業で荒地を開墾し、子供たちに相続させた。血族集団から分離して新しく結成された「家族」の最小単位が夫婦であり、その生活基盤を必要としたため、夫婦が共同して開墾した名田の名称を自らの「名字」すなわち氏とし、また自らの名を土地の名称としたのである。したがって、七五七年に施行された養老律令の戸令第二十三条の応分条では、法律婚で結ばれた嫡妻の法定相続分を定め、任意の男女関係である妾との区別を法制化している。夫婦同氏とは、まさに男女共同参画の伝統を持つわが国の誇らしい歴史と家族観をあらわしている。

念のため、「姓」と「氏」の使い分けについてもう一度解説しておく。筆者は橘朝臣橋本琴絵という。「橘」を本姓（氏）、「朝臣」を姓といい、血族を表し生涯変更されない。橋本が「名字」であり、家族を表す婚姻や養子縁組で変わる。そして琴絵が「個人名」。これが日本の伝統である。

仮に夫婦別氏が施行されたならば、中世のように「女の身分が低い」からなどと、女性とその女性が産んだ子に同じ氏を名乗らせないことも容易に想像できる。こうした非民主的な残滓を否定するため、明治以降は法律婚の同氏を徹底したのだ。女性の権利を守るためにも、夫婦同氏は絶対に守らなければならないのである。

重要なことであるから繰り返し強調するが、反日主義者の目的は、わが国の家族制度の解体であり、その先に皇室の解体を視野に入れていることは明らかだ。そもそも、夫婦別姓とは中国・韓国の伝統である。これを日本人に適用させる狙いは人種差別的動機があるからにほかならない。

反日とは、もはやそれ自体が宗教である。過去から現在まで多くの宗教が科学と対立する教義を信仰し続けてきたのと同じく、わが国の科学文明に挑戦しているのだ。宗教とはその人の行動原理を決定づける信仰であるから、必ずしも神の存在や精霊の類を必要としない。「性差の否定」とは科学を否定する宗教である。その宗教の究極的目的は、「人間性」を取り入れたわが国の法制度と文化の破壊にある。

現代における戦争・紛争とは必ずしも可視化されるものではない。わが国は形而下の物理的な侵略に対抗する組織としては自衛隊があるが、形而上の精神的侵略に対抗するための防衛組織を現状持たない。だからこそ、丸川議員に対する執拗な個人攻撃といった「端緒（たんしょ）」を決して見過ごすことなく、国民が一丸となって、わが国の伝統と存立を守り抜く強い意志を示すことがいま求められるのである。

同性婚カップルの思い上がりと差別思想

公益的要請を無視した札幌地裁の違憲判決

令和三年三月十七日、札幌地方裁判所民事部（武部知子裁判長）は、「法律上、同性同士が結婚できないのは憲法違反だ」と複数の同性カップルが国を訴えた裁判において、原告の主張を認め、日本初の違憲判決を下した。

札幌地裁は、同性婚を認めない民法および戸籍法の規定は「婚姻は両性の合意のみに基づく」と定めた憲法第二十四条には違反しないが、第十四条の「法の下の平等」に反するとした。「性的指向とは、人が情緒的、感情的、性的な意味で、人に対して魅力を感じることであり、（中略）人の意思によって、選択・変更し得るものではない」との事由から、同性婚を認めないのは法の下の平等に反すると判断したのである。

そこで、昨今、何かと議論となる同性婚の是非について保守主義の立場から論考を加えてみたいと思う。

まず、本邦の婚姻法が婚姻を禁止している事例は同姓婚に限らないことに留意する必要がある。以下の五例である。

一、児童結婚の禁止（民法第七百三十一条）
二、重婚の禁止（民法第七百三十二条）
三、近親婚の禁止（民法第七百三十四条第一項）
四、直系姻族結婚の禁止（民法第七百三十五条前段）　離婚したとしても配偶者の尊属（妻の実母・祖母、夫の実父、祖父）とは結婚できない。
五、養親子関係結婚の禁止（民法第七百三十六条）　養親と養子は、養子縁組を解消した後も結婚できない。

「性的指向は人の意思によって、選択し得るものではない」とすれば、確かに結婚を原因にして生じた姻族関係（四）や、養子縁組を理由にして発生した結婚禁止条項（五）は「人の意思によって選択し得る行為」であると言えよう。男性が、満十八歳まで婚姻が認められない児童結婚の禁止（一）は人の意思を否定したものではあるが、時期を待てば認められる。重婚の禁止（二）も、人の意思を否定したものだが、社会の道徳的観念に照らせば避けるべきであり、配偶者を一人に絞ればすむことである。

しかし、三の近親婚だけは、まさに「人の意思によって、選択・変更し得るものではない」。意外と知られていないが、実は近親婚は、たびたび裁判の重大な争点となっている。とくに、遺族年金給付についての事案が多く、事実上の婚姻生活および同様の関係性があったとしても、近親婚はいっさい否定されているのだ。

平成十七年五月三十一日の東京高裁における「遺族厚生年金不支給処分取消請求控訴事件」の判決を例にあげよう。事案は以下のとおり。

戸籍上、叔父と姪の戸籍関係にあった当事者（ともに成人である）が、一般の夫婦と何ら変わりなくお互い支え合いながらともに暮らし、職場からも周囲からも夫婦として認識されていた。やがて叔父（夫）が亡くなったので、姪（妻）が遺族厚生年金の支給を請求したところ、本来なら内縁関係であっても受給権があるにもかかわらず、近親関係を理由に棄却されたのである。

これを不服として行われた裁判では、次の理由を以て近親婚ないし近親的内縁関係の正当性を否定している。

「公的保護の対象にふさわしい内縁関係にある者であるかどうかという観点からの判断が求められ、その判断において優生学的な配慮及び社会倫理的な配慮という公益的要請を無視することはできないというべきである」

同じ観点は、同性婚ないし同姓パートナーシップにもあてはまるのではないか。

なぜ同性愛者にだけ特権が認められるのか

同性婚の禁止を違憲とする人々の思い上がりは、結婚禁止条項が数多くある中で、同性婚のみに特権が認められると信じていることである。

仮に、すべての婚姻規制を廃止すべきであるとの主張があり、一夫多妻制から近親婚、児童結婚に至るまで、当事者の愛をいっさい制限してはならないとの見地から同性婚を認めるべきであるというのなら、一応の論理性は担保されていると言えるだろう。だが、実際には、「同性婚のみ特権を与えろ」の一点張りである。これこそ、法の下の平等に反する主張ではないのか。

つまるところ、札幌地裁の判決は、複数の理由で結婚を認められない多くの人々がいる中、同性愛者のみを差別の被害者とし、愛の形がさまざまに異なる他の人々の権利は保護に値しないとする「差別主義思想」を、司法権を濫用して認めたものと言わざるを得ない。

あらゆる婚姻を認めよと言っているのではない。逆に筆者は、婚姻秩序に反する如何なる結婚にも反対する立場をとる。

特例を認めたら、際限がないからである。特に近頃は自己認識決定の尊重という考えがあり、性別や民族さえ自ら特定する例が諸外国ではすでにみられる。こうした風潮の中では、民法上の婚姻禁止条項の廃止どころか、法人との婚姻、死者との婚姻、動物との婚姻など、ダムが決壊するがごとく様々な形でエスカレートし、公秩序に多大なる影響を与える蓋然性を否定できない。想像すると恐怖さえ覚える。だからこそ、社会的に承認される婚姻を限定することに合理的理由があるのだ。

近親婚を理由に遺族厚生年金を不支給とした前掲の事例は、訴訟記録を読む限り、戸籍上近親関係であったとしても、当事者同士に深い愛情があったことに疑いを容れる余地はなく、ともに良き社会人であった。然るに、本人の意思によって選択・変更し得ない「出自（戸籍関係）」を理由に、婚姻が認められないどころか、遺族であることさえ認定されなかったのである。このような人々がいる中で、なぜ同性愛者にのみ特権を与えなければならないのだろうか。

札幌地裁の判決要旨にもあるように、「諸外国において同性婚制度等を導入する国が広がりをみせている」というのなら「同性愛者を死刑にすることが認められている外国がある」といった理屈も通るはずであり、主権国家である以上、諸外国の事情は理由にならない。ある国家では同性婚が犯罪である一方で児童婚は合法であり、またある国家では同性婚は合法だが児童婚が犯罪であるように、単純比較はできない。わが国にはわが国の婚姻秩序がある。

一夫多妻制を合法とする国から来た人が配偶者控除を全員に認めろと主張し、あるいは多妻制を教義とする宗教に改宗した日本人が、重婚を禁ずることは信教の自由に反すると違憲訴訟を起こすなど、さまざまなケースが今後想定される中、「法律婚」を限定して公秩序を守る意義は重要である。

わが国には、多くの先進国が採用していたように同性愛者を収監し、または処刑した歴史はない。それで十分ではないのか。わが国は、情交関係にある養子縁組契約をただちに否定することはないという寛容な国柄である（最高裁判決・昭和四十六年十月二十二日)。

愛の形はさまざまであり、相続権の付与など「通常の家族」と同じ権利を得る「ほかの手段」がある中、あえて婚姻の文言に固執する理由は何か。

法務省はすでに、同性愛パートナーシップの存在を理由に「配偶者」の資格で外国人への在留許可を出している。同性婚の婚姻実態は外部から把握するのが困難である実情に付け込み、あの手この手で日本に潜入して私たちの文化と伝統および法秩序を破壊する行為がありえないと言えるのか。

以上から、同性婚の承認こそが差別的であり、認められる理由はないものと結論する。

眞子内親王殿下へ——皇室が愛される理由

悠久の時とともに家族の愛を受け継いできた家系

秋篠宮眞子内親王殿下の小室圭さんとの御結婚問題については、私たち一般国民も無関心ではいられない。本論は賛否のある女性宮家制度や、新しく創設が検討されている特別職国家公務員としての皇女制度について論じたく思う。

まず、「結婚」という行為には二つの意味が含まれることに注意したい。一つ目は、法律行為としての婚姻履行の契約であり、夫婦いずれかの死亡時に財産の移転先を確定する行為であること。もう一つの意味は、男女の情を結ぶ純然たる愛の実現行為であることだ。

どこかの新興国において、突然現れた誰かが契約によって皇族を称したとしても、それは人々の憧憬（しょうけい）の対象とはなり得ないだろう。しかし、わが国をはじめとする歴史ある国々の王族皇族は、人々の尊敬と親愛を集める特別な地位にある。なぜか。それは、愛情による血統が幾時代にもわたって続いているからだ。「惜しみなく愛を与えて子を育む」という愛の行為を絶えることなく続けることが、どれほど貴重で尊いことかを考えれば、それは理解できるだろう。

世の中には、親によって命を絶たれる子供が存在する。殺されないまでも執拗に暴力をふるわれ半死半生の目にあわされる子供たちが大勢いる。肉体的な暴力はなくても、人格否定の暴言や育児放棄によって心的外傷を負った人々は数知れない。離婚による家族解体は毎年増加の一途をたどっている。

こうした世界にあって、皇族の身分とは悠久の神代より続く「家族愛を実践する力」を備えた血筋の人々であることを示している。家族を愛しているからこそ、何世代にもわたって皇位という財産の相続に成功し、歴史の荒波に消滅する家系とは一線を画し、現在に至るまで皇統を維持する能力を携えた特別な血統に属することを意味しているのである。

平民の結婚と貴族の結婚とでは重みがまったく違う。相続するものが違うからである。このため立法も、平民であれば「婚姻中に懐胎した子は嫡出と推定する」のみで実子の確定を法定するのに対し、皇室典範では推定で嫡出と認めることを許していない。

皇族の身分とは、一世代で獲得したものではなく、悠久の歴史的相続の連続性によって与えられた財産である。一個人の意志によって処分、あるいは獲得できる性質のものではない。このため、皇室典範第十条には、皇族男子の結婚には皇室会議を経ることを要すると明記してある。新たに皇族の身分を与えられる女性が、皇祖皇宗より続く国体の本義に照らして適切か否かがそこで吟味されるからだ。

皇室・王室は「契約」か「相続」か

天皇を戴く我が国体とは、抽象的観念論ではなく、次の通り明確に定義することができる。

それは「我が皇位が無窮であるといふ意味は、実に過去も未来も今に於て一になり、我が国が永遠の生命を有し、天壌無窮（天地と共に永遠に）発展すること」（『国体の本義』文部省編）である。かつて天照大神が、大御業を天壌（天地）と共に窮りなく（果てしなく）弥栄え（いっそうの栄華）に発展せしめられるため、皇孫を降臨せしめられ、神勅を下し給うて君臣の大義を定め肇國（国家建設）の大業がなったとする、我が国の存在理由のことである。

つまり、「日本が永遠に発展する」という目的に適うか否かが行動の規範であって、それに照らして行為の是非を考えなければならない。この行為には、当然ながら皇族の結婚も含まれる。とすれば、問題は今般の眞子内親王の婚儀が我が国の発展に資するかどうか、ということになる。私にはどう考えてもそうは思えない。

この行動規範は、皇族はもちろんのこと、私たち一般国民も常々考えなければならない基準である。自らの行動や思弁が、祖国日本の発展に寄与するものか否かを常々考えることこそ、臣道の実践である。良識とは、自らの行為が合法であると確信を得た上で行うことを規範づけ、日常の振る舞いも、それがよき日本人として適切か否かを基準に決定づけなければならない。従って、前例なき女性宮家の創設や特別職国家公務員としての皇女職の新設など、言語道断である。これらの制度が日本の発展に資するとする根拠はみじんもない。

国民による祝福の有無とは別に、国体の本義に照らして不適切と思われる結婚は、皇族女子が婚姻によって皇族の身分を離れる（皇室典範第十二条）より前に、皇室会議を経て臣籍降下し（同法第十四条第一項）、その後に婚姻ないし万が一にも皇族が内縁の妻となるが如き不名誉な前例も絶対に避けなければならない。

「婚約と結婚は別」との秋篠宮皇嗣殿下の会見でのお言葉は、婚約は皇族のまま行うが、結婚は臣籍降下した後に個人の裁量で自由に行えるとの意味ではないだろうか。

そもそも帝位とそれを守る皇族とはどのような存在かという基本的な疑問がある。戦後民主主義教育によって曖昧にされたまま、すでに七十年以上が経過した現在、改めてその存在意義を考えておきたい。

世界には、国家の誕生についてまったく対立する二つの考え方がある。イギリスの哲学者ジョン・ロックの『統治二論』（一六九〇年）と、同じくイギリスの治安判事ロバート・フィルマーの『パトリアーカ（家父長論）』（一六八〇年）である。

ロックは、原始時代の人々が相互に契約を取り交わし、会社法人設立総会のようなものを開いて国家を設立し、その代表取締役を選任するかのように国王を擁立したと空想した。よって国家と国王の存在由来は「契約」にあるのだから、契約違反と見なされる失政があったならば国家は解体することができ、国王を解雇（処刑）することもできると考える。

この思想については、発表から三百三十年がたった今なお、「いったい誰がどのようにして、原始時代に取り交わされた契約の遵守（じゅんしゅ）の保証を行ったのか？」という疑問に答えた者は一人としてない。「人間には理性があるから契約は守られる」の一点張りであり、今も（おそらく昔も）契約を守れない人々が無数にいる現実を完全に無視している。

一方、フィルマーの説明はシンプルかつ合理的である。まず男と女がいた。二人は愛し合い、子供を生んだ。そして、自ら耕した田畑と育てた家畜のすべてを子供たちに与えた。これを「相続」という。子供たちもまた成長すると結婚して子供を生み、かつて自らの父母がそうしたように、自らの子供に全財産を与えた。これを長い年月繰り返すうちに、やがて生まれつき莫大な田畑と家畜を所有する一族が出現した。その血統の人々は、自らの田畑から採れた作物と自ら育てた家畜の乳と肉とを、親の愛を知らず、何一つ受け継ぐことのなかった人々に分け与えた。

こうして、親から何ものも与えられなかった人々は、「両親から愛された血筋の一族」から分け与えられた食糧で生き延び、病気に対する免疫力を獲得し、子供を残すことができた。前者を「王」と呼び、後者を「臣」と呼ぶ。やがて国王の下に多くの人々が集まり、国家が成立した。最初の国王は、最初の父親であった。

国家は果たして契約によって設立されたのか、相続によって生まれたのか。前者を支持する人々は国王や王族の地位は契約によって獲得または破棄できると考え、後者を支持する人々は帝位そのものを相続財産ととらえ、相続法の前例を変更することは許されないと考える。これは、女性宮家の是非や皇女制度の議論の前提となる問題である。「契約」により国が成ったと考える人々は、皇族の身分とは個人の可処分属性だと思っているからこそ、一般男性が女性皇族との婚姻履行契約によって皇族の身分を獲得できると考える。しかし、「相続」により国が成ったと考える人々は、これをおぞましい悪意ととらえる。一般男性の皇族入りは、赤の他人に相続権を与える「重大な違反」であるからだ。

皇族女子の自由恋愛を認めるのなら皇室規範の整備を

帝室にとって望ましくない人物が入り込むことに、諸外国ではどのように対応しているのだろうか。我が国と諸外国はまったく異なるという前提を基に、参考までに述べてみたいと思う。将来、皇室を全否定する宗教を秘めた女性が皇室入りをした場合をはじめ、あらゆる災禍を想定しなければ国体の護持はままならないからである。

たとえば、イギリスでは憲法典の「一七〇一年王位継承法 Act of Settlement 1701」でハノーヴァー選帝侯妃ソフィアの子孫であることとカトリック教徒ではないことの二要件を定めていた（二〇一三年改正）。また、オランダは憲法第二十四条で、初代国王ウィレム一世とその配偶者の子孫であること並びにオランダ議会が承認した結婚によって生まれた者であることを定めている。つまり、生物学的条件と政治学的条件の双方を定め、理由の如何を問わず国家にとって相応しくない人物が結婚によって王族の身分を得ることを憲法で制限している。これに対して我が国は、憲法に比べて変更が容易である一般法で皇族の定義を決めており、議論の余地がある。

また、皇族に法律が適用されるかといった法整備も本邦は未熟である。たとえば東京高等裁判所は「天皇の日常生活は私法の定めに従う」と指摘し（東京高判平成元年七月十九日。憲法判例百選Ⅱ第五版二〇〇七年有斐閣）、この上告審（最判平成元年十一月二十日）は「天皇に民事裁判権は及ばない」と判断したが（最高裁判所民事判例集第四十三巻十号一一六〇頁）、これらの基準が皇族に適用されるかの議論は未だなされていない。

また、皇族女子の自由恋愛が認められるのは当然であるかのような風潮があるが、これを認めるのであれば、婚前性交に伴う性感染症、覚醒剤などの違法薬物を仕込まれるリスク、さらにはいわゆるリベンジポルノなど、結婚適齢期の女性全般に生じる危機に対応できる人員と予算を割くべきであろう。

皇族のスキャンダルは耐え難い国辱となる。すでに、皇族女子がSNSに「合コンしたい」と書き込む等、年頃の女性ならばごく普通の発信をした前例を踏まえた総合的政策が必要である。

『ローマの休日』の愛と感動が小室氏には理解できない？

十九世紀前半に活躍したフランスの小説家スタンダールは、恋愛について優れた論考を書き残し、恋愛論としてまとめ上げた。その第二章より次の一文を引用したい。

「ザルツブルクの塩坑では、冬に葉を落とした木の枝を奥深くに投げ込む。二、三カ月して取り出してみると、それは輝かしい結晶で飾られている。山雀の足ほどもない一番細い枝すら、まばゆく揺れてきらめく無数のダイヤモンドで飾られている。もとの小枝はもう見えない」（スタンダール『恋愛論』大岡昇平訳）

一般国民に比してははるかに制限の多いご生活を送られる眞子内親王殿下におかれましては、初めての恋であればあるほど、特別な思い入れを抱かれるのは自然なことである。

その点については国民の側に理解が必要であろう。世論は小室圭氏のご親族の経済的問題を重視する一方、小室圭氏自身の実際の人柄についての関心は薄いようだ。殿下の御心を射止めた魅力は果たして実態を伴うものかどうかにもっと関心を払うべきではないだろうか。

ところで、名作映画『ローマの休日』では、オードリー・ヘプバーン演じるヨーロッパ最古の王族のアン王女がアメリカ人の新聞記者ジョーと恋に落ちて熱い口づけを交わすも、ジョーが「ローマは永遠に忘れ得ぬ街となるでしょう」と別れを伝え、祖国と王室への忠誠を選んだアン王女の瞳に涙の跡がみえるシーンで終わる。身のほどを弁えたジョーの男らしさが世界中の人々の共感と感動を呼び、公開から七〇年近く経ったいまも根強い人気がある。

皇族の愛を得るなど一生涯の幸運を使い果たしても得られない奇跡であり、その幸運を手放したくない気持ちはよく理解できる。しかし、小室圭氏と筆者は三歳差であるも老婆心から申し上げたいことがある。男らしく身を引く勇気が大切だ。そうすれば、世界は必ずあなたの心からの愛を永遠に称賛することだろう。進むだけが選択ではない。引くことによって人の心を動かす男気もあるのだ。

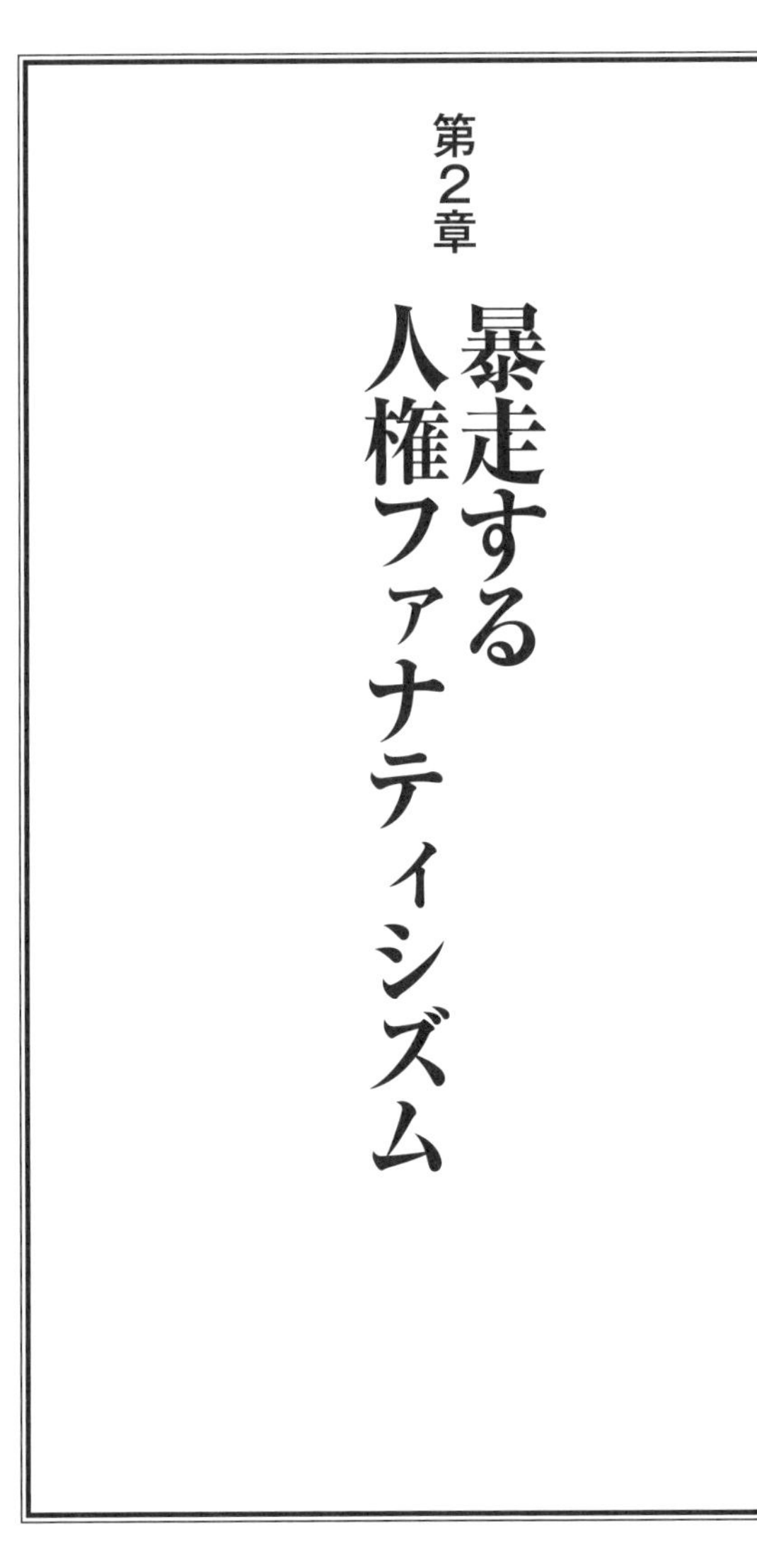

第2章

暴走する人権ファナティシズム

日本の保守政権に正しい「移民・防疫」政策はあるのか？

国民とともに歩む

私は、平成二十九年の衆議院議員総選挙で「希望の党」から立候補した。当時の安倍晋三政権による移民政策の公約に納得ができず、我が国に災禍をもたらす政策であると考えていたからだ。

しかし、ふとした偶然から平成二十五年四月十四日、硫黄島と小笠原諸島父島を訪れ、硫黄島の滑走路に膝をつき泣き崩れる当時の安倍総理の写真（左）を目にした。

マスコミの報道がなかったとはいえ、遅ればせながら六年以上の歳月を経て、私は事実を知った。硫黄島の自衛隊基地の滑走路の下には、先の大戦で散華された英霊のご遺骨が眠っており、米軍がそのまま滑走路建設をしたため、遺族のもとにおかえしすることがままならない。このことを知った安倍総理は涙を流し、泣き崩れたのだった。

そして、三百億円の予算を首相官邸が負担し、大東亜戦争で散華された英霊のご遺骨を最後の一柱まで収集する考えを明らかにされた。

ところで、さまざまな世論調査では、安倍前総理の「人柄」をどのように評価するかといった質問事項があった。安倍氏の人柄に対する国民の評価から、為政者に相応しい人物か観測しているのだ。政権後半の調査では、安倍氏の「人柄」に対する評価が下がり、低空飛行を続けているといった報道表現が目立った。

硫黄島を訪れ、滑走路に膝をつき泣き崩れる安倍総理（写真提供：筆者）

だが、果たしてそうであろうか。考えてもみてほしい。一国の宰相が両膝を地面につけてひれ伏し、祖国のため尊い命を捧げられた方々に対し、謝罪をされたのだ。この情景のすべてを、私のつたない表現力ではお伝えできないかもしれない。しかし、泣き崩れた総理の写真を見た私の目からは涙があふれ、一つの思いが心の中に満ちた。「一人でも多くの国民が、安倍総理のこの写真を見れば」

安倍政権のあらさがしに行き詰まり、当時の一部マスコミはついに人柄批判まで始めたが、私にはこの「安倍総理のお人柄」こそ、長期政権が続いた人気の秘密ではないかと思う。

安倍前政権は、暗黒の民主党政権で進捗（しんちょく）した失業率を改善するなど、強い経済に裏付けられた政権だとの見方もあるが、実際のところは、国民と共に歩む〝情愛〟にこそ、権力の源泉があったのではないだろうか。

移民とはただの労働力？

前述までの安倍前総理のお人柄に対する信任を前提に、より国益に資すると私自身が信じる次の二点を安倍政権（及び後継政権となった菅政権）に上申し、日本のさらなる発展を願いたい。それは「移民政策」と「防疫政策」である。

まずは「移民政策」について述べていこう。

私は前回の衆院選において、全候補者中ただ一人だけ移民政策反対を訴え、当時二十八歳で地元広島県から立候補をした。なぜ、かくも強く移民政策に反対したのか。それは、国家の基幹に深くかかわることであるからだ。

令和元年から施行された改正入管法によって在留資格が拡大され、外国から多くの人々が職を求めて来日することが可能になった。これは、産業界の切実な人手不足の要請に応えた形ではあるが、その理由には疑義がある。

一般的な経済学の考え方として、人手不足とはそれこそ対独戦直後のソヴィエト連邦のように成人男性の多くが死傷した場合を除き、単純に支払賃金がない状態だ。人手不足とは要するに労働に見合うだけの賃金が期待できないため、求職者がいないことを意味する。

労働者に十分な賃金を支払えない状態は、市場における当該企業の需要が低いということである。実態としては安価な外国人労働力が欲しい一方、人手不足と言い換えて体裁を整えている。

なるほど確かに外国人移民によって企業は安価な労働力を手に入れ、利益を追求できる。しかし、国家全体ではどうか。外国人による犯罪によって失われる利益、捜査費用、裁判費用、収監費用などを計算しているのだろうか。外国人の集団が居住した不動産価格の低下あるいは上昇を想定しているのか。日本人との婚姻によって出生した子の帰属や文化的摩擦を解消するための費用を算定しているのか。私が見た限り、そうした計算は一切なく、ただ労働力のみ得られると考えているのではないだろうか。

すでに、ドイツやスウェーデンでは移民問題の先行例があり、たとえば平成二十七年末には、千人規模の被害女性を出した集団強姦事件がドイツのハンブルクやケルンにおいて発生している。もちろん、日本へ働きに来る人々は在留期限付きであり「移民ではない」との主張があるが、文化習慣が一致しない人々が大量に長期間在留するといった点においては何ら変わりがない。

女性が一人で出歩ける状態が「かつての古き良き日本」には存在した、という事態になってしまうことは絶対に許されない。

正しい「防疫政策」なのか

次に「防疫政策」についてだ。

前述までの移民政策の精神が最も悪い形で具現化したのが、今般の中国武漢発の新型ウイルス問題である。まず、この問題が発生した背景について述べたい。

旧民主党の経済政策は、「砂漠で雨の心配」をするかのごとく、極度にインフレを恐れたデフレ政策であった。このため、世界に流通する日本円の量は少なく、情報通信技術の発達によって日本国の実態を知った多くの人々が魅了され、安全資産として日本円を買い求めて円高はさらに進行した。すると、輸出立国として経済大国の地位を築き上げた日本の製品が、どのように性能が良くても円高である以上売れなくなった。そこで、観光立国などといった虚弱体質になり、外国人のインバウンドによる外貨獲得に期待するようになったのである。この状況下では、観光客を阻むことは経済失策にあたるため、今回のような新感染症が外国に発生したとしても、政府は国民の生命よりも、経済を優先せざるを得なかったのである。

時に、政府は「対応する法律がない」と述べたが、これは虚偽である。今から七〇年も前に政府は、今回のような新型ウイルスの発生を想定し、検疫法（昭和二十六年法律二百一号）を制定し、同法第三十四条にて入国禁止から交通制限および強制隔離が可能であった。

現に、平成十五年に重症呼吸器症候群（いわゆるSARS）が流行した際は、政府は遅滞なく同感染症を政令（平成十五年政令第三百五号）にて検疫法第三十四条指定新感染症とし、日本人感染者が一人もいなかったにもかかわらず入国制限等を可能な状態にしているのである。

変化を嫌うな

平成十五年当時と現在では何か違うのか。それは、外貨獲得の手段が工業製品の輸出からインバウンドに変わりつつあったことである。観光業界の利益のため、新型ウイルスの危険性を見誤り、国民の生命を危険にさらした責任は決して免れるものではないことを率直に申し上げる。

米ハーヴァード大の哲学教授ウィリアム・ジェームズは、その主著『プラグマティズム』（岩波文庫・桝田啓三郎訳）の中で、不幸なものは不幸な現状を首肯（しゅこう）することなく変化を望むが、不幸ではないものは現状の維持を支持すると述べている。

この理屈は安倍前政権の長期化にも言える。すなわち、社会保険料などの重税に苦しむ一方で、現代にはある程度の娯楽もあり、驕奢（きょうしゃ）ではないにしろ衣食住にも事足りているため、不幸であるとの意識が希薄なのだ。従って、変化を嫌い、リスクをとるべき理由がないと考える。

リスクとは何か。言うまでもなく、野党（一部除く）である。数年間も論点のずれた議論に固執して国会を空疎な場とし、安全保障政策への無策、コロナ禍初期にあっても、花見客の名簿を巡り騒ぐなど、もはや正気の沙汰とは言えない有様を国民に見せ、日本の中に何か別の国があるかのような印象さえ与えていた。平成二十七年の平和安全法制の審議では、国会前で太鼓を叩いてダンスをする集団に交じって叫び、二重国籍疑惑を払拭（ふっしょく）できない者がその後、党要職を務めた。

近年の台風被害でも、国民の命を守る堤防建設維持費用の削減を民主党政権が主張していた過去などが暴露され、国民からみれば、もはや「良い暮らし」といった高次の話ではなく、彼らに権力を信託したならば生命身体の安全が脅（おびや）かされる恐怖感さえ覚えさせているのが実情だ。命の危険が迫るよりは増税の方が良い、との比較衡量論に一般国民が落ちつくのは、当然の帰結といえるであろう。

令和の門戸開放をせよ

では、今後の保守政権に対して、どのような期待をすべきだろうか。

それは、憲法改正はもちろんのこと、武器輸出規制のさらなる緩和である。

壊れにくい日本車に対する信用から、世界は日本の兵器を求めている。すでに飛行艇

US2の輸出がインドやタイなどの関係国と議論されているが、そうではない。大規模かつ常道的にこれを推進し、令和の門戸開放をするのだ。

そうすれば、三菱重工やSUBARU（富士重工）、豊和工業などの防衛産業関連株価の大規模上昇によって日経平均株価も後押しされ、その経済的恩恵はいずれ一般国民の手に届くと考えられる。

特段の積極的政治思想を持たない国民にとって、現状の保守政権とは、ほかに選択肢がない前提を基礎にした消極的選択の結果である怖れを感じている。コロナ不況下で経済的に苦況に陥る国民が増加すれば、「とりあえず違う選択をしてみたい」と考えて投票することも当然予想される。

溺れている者は正常な判断ができず、たとえ浮力のある浮き輪を持っていても、その浮き輪を捨ててワラなど全く浮力のないものを摑んでしまう、愚かな習性を持つ。それはリーマンショック後の民主党政権ですでに経験した。

しかるに、国内における女系天皇論の謀議、そして膨張する大陸の軍事国家（中共政権）が、特定の民族（ウイグル）というだけで罪なき妊婦や赤子まで抹殺せんとする中、また中国武漢のコロナウイルスによる感染者が広がっていた状況下で、我が国は習近平国家主席を国賓にするという歴史的な過ちを犯しつつあった。

万が一、国賓晩餐会に臨席されたご家族経由で、秋篠宮家の長男・悠仁（ひさひと）親王殿下が感染されたならば、どのようにその大罪の責任をとられるおつもりだったのか。

中国との付き合い方を見直せ

以上から、今後の保守政権に期待することは次の二つだ。従来の移民政策および防疫方針を改め、かつ憲法改正の前駆的行動として、武器輸出を全面的に推し進めることだ。

自由主義国の装備強化は我が国の安全を強化し、防衛関連企業にもたらされた莫大な富は問題を一挙に解決し、ひいては「賃金がないという理由の人手不足状態」など一瞬で解決するだけの需要が発生し、外国人による低賃金労働や外国人観光客による外貨獲得に期待を寄せるべき事由も消滅する。

保守政権は正義の観念をもって外交に取り組み、ホロコーストの実行者との商取引や観光産業などではなく、我が国の武器輸出規制の大規模緩和を裁量的解釈で成し遂げ、道義的に非難される謂（いわ）れのない富を日本国へもたらすべきであると提言しておきたい。

慰安婦は皇軍将兵の〝妻〟であった

受けいれられない「人道に対する犯罪」論

令和三年一月八日、韓国ソウル中央地方裁判所は、「元従軍慰安婦」を自称する女性十二人による日本国を被告とした損害請求に対し、一億ウォン（日本円にして約九百五十万円）の支払いを命じる判決を下した。

これに対して、茂木敏充外務大臣は翌九日、韓国の康京和外務大臣に電話をかけ、当該判決を受けいれることはできない旨抗議した。

「従軍慰安婦問題」にまつわる経緯は、多くの日本人が知るところである。

日韓基本条約で請求権の相互放棄が定められ、日本は朝鮮に投資した資本及び日本人の個別財産の全てを放棄するとともに、終戦直後の朝鮮半島で起きた日本人母子虐殺や、十歳未満の女子児童に対する強姦を含む性犯罪など無数のヘイトクライムに対しても、その責任を問わないこととした。韓国側は軍属や労働者として日本に徴用された者への請求権を放棄し、日本から無償提供されたおよそ十一億ドルの中から遺族に個人補償金を支払ったが、それが日本から出た金であることを、韓国政府も韓国メディアも国民にあえて周知することはなかった。

ちなみに、韓国人慰安婦問題に対しては平成二十七年、韓国政府が運用する元慰安婦支援のための基金に日本政府は十億円を拠出して、「心からのお詫びと反省」を当時の安倍総理が表明した。これにより慰安婦問題は「最終的かつ不可逆的に解決」されたことが、同年十二月二十八日、岸田文雄外相と韓国の尹炳世（ユンビョンセ）外相がソウルで行った日韓外相会談で合意された。

こうした過程を経たにもかかわらず、ソウル中央地裁本判決が「人道に対する犯罪は国家を被告にできないとする国際慣例に該当せず、また既に締結された条約も影響しない」と主張したことは到底受け入れられるものではない。本稿では、国際法の解釈についての議論は専門家に譲ることとして、「人道に対する犯罪」の事実認定について述べたいと思う。

二百名の慰安婦による童貞争奪戦？

私たちが毎日、目や耳にする情報は、誰かが任意に選択したものである。それは情報提供者の認知バイアスを経た情報であるから、正確性は担保されない。では、「慰安婦」と実際に過ごした当事者は、どのような視点から慰安婦たちを語っているだろうか。本論はその部分に注目してゆく。

慰安婦には、日本陸軍の憲兵が付いていた。女スパイが慰安婦に紛れ込んで将兵に軍事機密を盗んでくるよう教唆（犯意がない者に対して犯意を新たに生じさせる行為）することを防ぎ、また慰安婦を将兵の暴力から守るためでもあった。憲兵は慰安所の治安維持にもあたったのである。そこで、当時、憲兵兵長だった中川公平氏の証言を次に紹介しよう。

大東亜戦争中、中川氏は憲兵兵長として中国・湖北省漢口市の憲兵隊に所属し、市内の積慶里という場所で慰安婦（朝鮮人含む）約二百人の警備を担当していた。上官の服部守次憲兵少佐から警備担当を命じられたとき、軍隊では珍しく中川氏は抵抗した。理由を尋ねられると、「憲兵学校では慰安婦の警備など習っていないし、何より女性経験がない」と素直に答えた。その話が噂となり、慰安婦たちは面白がって「誰が中川憲兵兵長を男にするか」の競争が始まった。二百名の慰安婦による童貞争奪戦である。ついには、中川氏からハンカチを受け取った者が、その権利を得ることに決まった。中川氏は「馬鹿げたことをするな」と叱ったが、「私たちのお願いを聞いてもらえないのですか？」と慰安婦たちは引き下がろうとはしなかった。中川氏は誰にもハンカチを渡さなかった。

やがて、中川氏は駅の警備担当に異動することになった。話を聞いたある慰安婦が中川氏に駆け寄り、「お別れに食べてください」とイチジクを差し出した。日本を出て初めて目にするイチジクだった。感謝しながら頬張った。中川氏が果汁のついた手をハンカチで拭こうとすると、慰安婦は素早くハンカチを取り上げた。「これ、私にください」。彼女は中川氏のためにその日は一切客を取らず、入浴し、美容院に行っていた。中川氏は、「ハンカチを返せ」とは、とうとう言えなかった。

また別の話もある。異動前のある日、中川氏はある慰安婦が号泣しているのを見た。何事かと駆け寄ってみると、慰安婦の手には札束が握られていた。

「明日、作戦のために出陣する若い兵隊さんがくれたの。この作戦で自分は死ぬから、お金はいらない、全部あげる。今日が初めてだった。女の人の体は、本当に柔らかいのですねって」

慰安婦は大粒の涙を流して嗚咽(おえつ)していた。

憲兵の証言は、こう締めくくられている。

「かつての遊女のように借金で縛られることはない。自由の身だから旅費さえあればいつでも故郷に帰ることが出来る。それでも退職して帰るという女性はいなかった」(山内一生著『憲兵伍長ものがたり』光人社NF文庫)

上記エピソードは「あくまで一例にすぎない」と切り捨てることもできるだろう。しかし、司法警察職員である憲兵による公務中の重要な証言である。少なくとも、年齢や居場所がたびたび変わり一定しない韓国人元慰安婦の証言とは、信用性は比べ物にならない。そもそも、「慰安婦に違法性があった」とする根拠自体、証言のみである。なればこそ、これまで日本政府は慰安婦問題について法解釈の部分に重点を置いてきたが、「性奴隷」などという荒唐無稽な主張に対して、事実認定を争うべきではないだろうか。

戦地の慰安婦は売春婦ではない。皇軍将兵の〝妻〟であった。だからこそ、夫たちの戦死に妻は泣いたのである。

朝日の「従軍慰安婦強制連行」キャンペーンは犯罪である

朝日の反日「ヘイトキャンペーン」の恐ろしさ

平成二十七年（二〇一五）、朝日新聞が三十年近く続けてきた「従軍慰安婦」報道が虚報であったことを自ら認め、経営陣が謝罪会見を開いたことは記憶に新しい。また、令和二年（二〇二〇）、元朝日新聞記者・植村隆氏が、元慰安婦の証言記事を「捏造」と批判した櫻井よしこさんの記事が名誉毀損にあたるとして損害賠償を求めた訴訟が最高裁で棄却された。朝日新聞の令和二年度の業績は創業以来の大赤字であったという。

この朝日の問題の本質は、単に取材の杜撰さや報道の偏向といった次元にとどまるものではない。特定の民族（ここでは日本民族が被害者である）を侮蔑する報道が引き起こす歴史的問題に、私たちがあまりに無関心であることこそ批判されるべきである。

一九八〇年代まで、韓国は「防共のための防波堤」として、日韓関係は良好と言えるものであった。にもかかわらず、朝日の〝従軍〟慰安婦報道が始まると、たちまち反日運動の機運が高まり、現在では両国の関係は戦後最悪の状態にある。

「民族」への憎悪が生じることは、何を意味するのか。歴史を振り返って考えてみよう。

一九二〇年代、ドイツの大手紙『シュテュルマー』(Der Stürmer) は、反ユダヤ主義の記事を発信し続けた。ユダヤ人が世界征服を企んでいるという偽書『シオンの議定書（シオン・プロトコール）』の陰謀論をさも事実であるかのように長期間にわたって報道し、やがてシュテュルマーの記事は、ドイツの小学校で教材として扱われるまでになった。朝日が広めた「従軍慰安婦」が日本の教科書に載るようになったのとよく似ている。

だが、この一連の反ユダヤ報道にも、ドイツ国内のユダヤ人は楽観視していた。なぜなら、ワイマール憲法は平和憲法であり、国民の基本的人権を保障していたからだ。十九世紀の昔ならともかく、「二十世紀の現代に、平和憲法下で恐怖政治が行われるはずがない」と考え、その後ユダヤ人専用の絶滅収容所が各地に建設されることなど誰一人、予想もしていなかったのである。

特定の民族や国民に対する報道機関の「ヘイトキャンペーン」を放っておくと恐ろしいことになる。私たち日本人は、こうした歴史的教訓にあまりにも鈍感ではないだろうか。

これも一九二〇年代、アメリカでは「黄禍論」ムーブメントが起こった。日本人移民の子供が公立小学校に通うことが拒否され、その流れで一九二四年には、いわゆる排日移民法である「ジョンソン＝リード法」(Johnson-Reed Act)が制定される。有色人種すべての移民を制限する法律だが、特に日本人の移民は「全面禁止」となり、当時の日本政府に衝撃を与えた。明治四十一年（一九〇八）に林董(ただす)外務大臣とオブライエン駐日大使との間で締結された日米紳士協約に違反するものだったからだ。

この反日機運は日米開戦という最悪の形につながる。日本にルーツを持つ日系アメリカ国民は全財産を没収され、強制収容所に入れられた。米政府は、日本と同じ敵国（枢軸国）であるドイツとイタリアにルーツを持つアメリカ国民の人権を制限しなかったが、日系人のみが人権を剝奪された。

日系二世のフレッド・コレマツは「日系アメリカ人の人権剝奪は合衆国修正憲法に違反する」と訴えたが、一九四四年、連邦最高裁は「日本人の血を引くアメリカ国民の基本的人権を制限して強制収容することは合憲である」(Fred Korematsu vs. United States 323 U.S. 214) との判断を下した。二〇一八年に連邦最高裁がコレマツ判決の違法性を認め、事実上覆すまで、この判例は戦後も七十三年にわたって法的に有効だった。

歴史を振り返ってみると、大規模な人権弾圧の前には、報道機関による「ヘイトキャンペーン」が行われている。その報道は事実に基づくのではなく、読者や受け手が特定の民族・国民への憎悪を抱くよう意図的に加工・捏造されたものだ。こうした行為をわが国は犯罪として定義していない。朝日の「従軍慰安婦強制連行」キャンペーンは、本来なら、国益を損ねた大罪として罰せられるべきである。

虚報は単に虚報だけでは済まないことを多くの人々に知ってほしいと強く願う。

飢えて死ぬ国民をよそに誰がための外国人生活保護か

外国人は生活保護法の適用外のはずなのに？

新型コロナウイルス感染拡大に国民が困窮するなか、大阪市港区築港のマンションの一室で令和二年十二月十一日、低栄養症によって六十代と四十代の母娘が餓死する事件が発生した。親族によって発見された二人の遺体を大阪府警港署が司法解剖した結果、死後数カ月が経っており、母親の体重は三十キロほどしかなかった。室内の冷蔵庫に食べ物はほとんど残されていなかったという。

疫病の襲来で経済的に追いつめられ、餓死する国民が現れる一方で、私たち日本人の税金で腹を満たしている外国人がいるという不条理が存在する。生活保護を受けている外国人たちである。

日本政府の調べによると、外国人の生活保護受給者は平成二十八（二〇一六）年度に月平均で四万七千五十八世帯に上り、過去最多を記録した。人数ベースで見ても、外国人が世帯主の世帯による生活保護受給は大幅に増えている。平成十八年度の四万八千四百十八人から、二十八年度は月七万二千十四人と、十年間で四八・七％もの増加である。

その一方、在留外国人全体の人数の増加率は、十九年末から二十九年末までの十年間に二三・八％にとどまるのだから、この増え方は尋常ではない。これは、バブル期に大量に入ってきた外国人労働者が、その後のリーマン・ショックなどによる景気悪化によって多くが解雇されたためと考えられている。

データは平成二十三年（二〇一一）のものだが、国籍別の生活保護受給世帯数は次のとおりである（％の数字は世帯数÷在留人数）。

韓国・朝鮮	二万八七九六世帯	五・三％
フィリピン	四九〇二世帯	二・四％
中国	四四四三世帯	〇・七％
ブラジル	一五三二世帯	〇・七％
その他	三八〇六世帯	〇・九％

ちなみに、被保護世帯に占める外国人の割合は三％である。外国人が生活保護を受けるには、それぞれの事情があることだろう。しかし、わが国の最高裁判所は、外国人の生活保護受給権をはっきりと否定しているのである。まず、平成二十六年（二〇一四）七月十八日に下された、その判決文の要約を以下に示そう。

生活保護法は適用の対象につき「国民」と定め外国人は含まれない。生活保護法が制定された後、適用範囲を外国人に拡大する法改正は行われておらず、外国人に準用する旨の法令も存在しない。したがって、生活保護法が外国人に適用されるべき根拠は見当たらない。また、我が国が難民条約等に加入した際の経緯を勘案しても、外国人が同法に基づく保護の対象となり得るものとは解されない。

この判決は、次のような事案に対するものである。

永住在留資格を有する中国籍の女性（原告）が、不動産の賃貸収入により、夫とともに生活していた。ところが、夫婦宅に転居してきた義弟から暴行を受け、預金通帳等を取り上げられたため生活に困り、夫婦が住む大分市の福祉事務所に生活保護申請をしたところ、却下された。そのため大分地方裁判所に処分取消請求を申し立てたのである。

だが、大分地裁は平成二十二年十一月二十二日、請求に理由がないとして棄却し、女性はこれを不服として福岡高等裁判所に控訴した。この第二審で福岡高裁は平成二十三年十一月十五日、「生活保護法は外国人受給権を認めている」とし、「裁判所は国会の制定した法律を超えて立法する権利がある」との判断を縷々述べて、中国人女性の申し立てを認めた。これに対して大分市が上告し、右で紹介した通り、最高裁は福岡高裁の判決を破棄する判断を下したのである。

福岡高裁が「外国人には生活保護受給権がある」と主張した根拠は、「厚生省社会局長昭和二十九年五月八日付社発第三八二号通知」にあった。厚生省の社会局長が各都道府県知事宛てに出したこの通知は「当分の間、生活に困窮する外国人に対しては一般国民に対する生活保護の決定実施の取扱に準じて必要と認める保護を行う」が、それは昭和二十九年（一九五四）から「当分の間」（改正されるまでの意）に限ると明記した文書である。

この通知が発令された昭和二十九年当時、韓国・朝鮮人はわずか九年前まで同じ日本人であったから、その困窮に対しては憐憫の情があったと推察される。だが、現在においては前掲判例の通り法律上の理由が無い。

そうなると外国人生活保護とは、公務員が公金を第三者に贈与する背任行為であると言うことができる。これは、刑法上の犯罪である。ましてや、日本国民に餓死者が出る非常時に、外国人に多額の金銭を贈与し続けることを私たち日本人が容認できるだろうか。

ただし、ある明確な場合においては、外国人の生活保護を認めるべきであると私は考えている。それは、自国に在留する日本人に生活保護受給権を認めている国家の国籍を持つ外国人に対しての支給である。これを相互主義（principle of reciprocity）という。

たとえば、イギリス王国は在英日本人に生活保護受給権を認めている。従って、日本国も国内法に対し超法規的であっても、国際慣例上、在日イギリス人の生活保護受給権を認めるべきである。健康保険加入権についても同じことが言える。

しかし、日本人の生活保護受給権を認めていない国の人々に対して、超法規的に生活保護費を受給させることは相互主義の全否定である。それどころか、本国人と外国人との社会保障における差別撤廃を定めた社会権規約（経済的、社会的及び文化的権利に関する国際規約＝昭和五十四年条約第六号）第九条に反する重大な人権侵害かつ人種差別である。餓死者を出す一方で外国人に生活保護を支給するような過酷な人種差別政策を超法規的に採用している政府は、地球広しといえどもわが国のほかに見当たらない。ただちに関係者を背任罪で処罰し、是正する必要がある。

そのうえで、たとえば国家賠償法第六条が「この法律は、外国人が被害者である場合には、相互の保証があるときに限り、これを適用する」と相互主義を法定しているように、生活保護法も「外国人が申請者である場合には、相互の保障があるときに限り、これを適用する」と法改正すべきだ。相互主義の否定は人種差別だからである。

同時に、現在の経済状況に鑑み遅滞なくセーフティネットを適用し、同胞の餓死者をこれ以上一人として出さないことが政府に求められていることは言うまでもない。

関東大震災時に「朝鮮人襲来」がなぜ叫ばれたのか

「誤想過剰防衛」とは何か？

平成七年の阪神淡路大震災、二十三年の東日本大震災をはじめ、わが国はしばしば大災害に見舞われてきた。しかし、いずれのケースにおいても、略奪も起きず、支援物資を整然と並んで受け取る被災者たちの光景に世界は驚愕した。規律正しく、秩序を重んじ、他者を思いやる日本人の美徳は世界中から称賛されてきた。だが、唯一の例外とされるのが、大正十二年（一九二三）九月一日の関東大震災の折に起こったという「朝鮮人大量虐殺」である。

ここでは大地震発生時に乗じた人災である犯罪と流言飛語について考察し、陰謀論についての論考を進めたいと思う。

本論が「朝鮮人虐殺」を陰謀論の範疇に含める学術的理由は、前代未聞の大量殺人事件があったと言われるにもかかわらず、その被害を訴える主張に、どれ一つとして殺人罪の確定判決が伴わないからである。出てくるのは、「目撃証言」と「新聞報道」ばかりである。もっとも、世の中にはたとえばUFOについて多くの目撃証言と新聞報道（東スポなど）が繰り返され、UFOが出現した際の対処法についての「政府発表」もある。しかし、だからといって宇宙人はすでに地球にいるとの主張に説得力はない。

関東大震災当時も現在も、殺人罪の処罰は同じ刑法（明治四十年法律第四十五号）により、明治時代の判例や裁判例がいまも裁判の判断の基準となっている。にもかかわらず、大正時代の事件について「裁判官ではないが、殺人があったと事実認定している人がいる」との主張をいくら集めても、陰謀論の謗り（そし）を免れることはできない。

関東大震災直後の「朝鮮人殺害」を事実認定した下級審の裁判例が、若干ではあるが存在するという人もいる。だが、当該事件の被告人は「朝鮮人殺害の故意」をもって犯行に及んだのだろうか。調べてみると、そうした裁判記録は存在せず、「殺害した相手が結果として朝鮮人だった」という事実を記録しているに過ぎない。

たとえば、片柳事件（浦和地方裁判所判決一九二三年十一月二十六日）の裁判記録には、被告人（殺害者）の動機形成の過程が次のように記されている。

「不逞鮮人の来襲なりと聞き伝え其場に駆付けた」

要約すると、「急迫不正の侵害」（法益が侵害されているか、侵害が差し迫った状態）に対して「違法性阻却事由」（特殊な事情が存在するため違法とはならないケース）の認識をもって「有形力を行使した（物理的な攻撃を加えた）」と記録されているのだ。たとえ事実として「襲撃（不逞鮮人の来襲）」がなかったとしても、被告において「襲撃がある」という認識が内在していれば、「誤想防衛」（正当防衛にあたると誤信して防衛行為を行う）ということになる。危険回避の限度を超えた場合は「過剰防衛」である。この二つを合わせて「誤想過剰防衛」という。罪も刑法第三十六条第二項によって減刑される。

誤想過剰防衛のわかりやすい例として、いわゆる「勘違い騎士道事件」（最高裁決定。昭和六十二年三月二十六日）を引用してみたい。

在日イギリス人の空手家が夜十時ごろ歩いていると、酩酊した男女がふざけあっていて、女が地面に尻もちをつき、イギリス人を見て「ヘルプミー」と言った。イギリス人が近づくと、男は両手こぶしを前に出し、いわゆるファイティングポーズをとったため、イギリス人は女が強姦されかけていると思い、男の顔面に回し蹴りをくらわせた。男はその場に倒れ、脳内出血を起こして八日後に死亡した。

この事件は、酔った男女がふざけあっていただけで、そこに「急迫不正の侵害」は存在しない。しかし、その事情を知らない第三者からみると、女が男に襲われていると考えて無理からぬ「外観」があった。

結論として、在日イギリス人は懲役一年六カ月、執行猶予三年の量刑となった。その理由は、次の通りである。

「犯罪が行われていないにもかかわらず、誤認して女性を助けようとした認識に違法性はない。しかし空手家があえて男性の顔面に回し蹴りをしなければならない必然性はなく、女性を救出する手段は他にもあった。その過剰性に犯罪の故意責任があるものの、そもそもの動機は正当防衛であるため減刑される」

これが誤想（急迫不正の侵害が事実として存在しないが、存在すると錯誤した）であり、過剰（ほかに回避手段があるのにそれをせず、あえて攻撃力の高い選択をした）であることに違法性が認められるも、動機形成においては善であるため減刑されたのである。

関東大震災における朝鮮人虐殺とされる犯罪の量刑がいずれも軽いのは、「朝鮮人」を殺害するのが動機ではなく、「襲撃から身を護ろう」とする善なる動機であったことが認定されたからだと推察できる。事実として襲撃がなく誤想だったとしても、その認識自体に責任はないのである。なぜならば、勘違いされるような「外観」があったからだ。

朝鮮人がやっていた日本人へのヘイトクライム

それは、初代総理大臣・伊藤博文暗殺（一九〇九）や朝鮮総督・寺内正毅暗殺未遂事件（一九一二）に始まり、震災の四年前には金擎天（キムギョンチョン）や池青天（チチョンチョン）ら帝国陸軍士官学校卒の朝鮮人将校が裏切って朝鮮独立運動に走り、日本人に銃を向けるなど、「日本人殺害を目的にした朝鮮人のヘイトクライム」が厳として存在し、その恐怖が日本全土を被っていたからである。

誤解している人が多いようだが、この時代にヘイトクライムを行っていたのは日本人ではなく、朝鮮人のほうであった。終戦直後の朝鮮半島で日本人妊婦と幼児が虐殺されたように、逃げ足が遅く反撃できない弱者から殺害されていくのがヘイトクライムである。攻撃を加える動機は人種や民族といった「属性」に対するものだからだ。

関東大震災後に「朝鮮人虐殺」があったと主張する人々は、それをヘイトクライムと表現する。しかし、震災後に殺害された朝鮮人の裁判記録の中に、妊婦や乳児や身体障害者はいない。もし「朝鮮人虐殺」が陰謀論ではないならば、真っ先に弱者が殺害されていなければおかしいが、実際に殺害の対象となったのは身体頑健で運動能力の高い「成人男性」ばかりであり、なおかつこれら屈強な被害者たちは徒党を組んでいた。であれば、「朝鮮人だから殺した」のではなく、「急迫不正の侵害を恐れてこれを回避するために違法性阻却事由の認識を以て有形力を行使した結果、相手方が朝鮮人であった」と表現すべきではないだろうか。

現代でも外国人による多くの日本人殺害事件が発生しているが、これは犯罪の相手方が「たまたま」日本人であったというだけで、日本人殺害が動機ではないとする弁護と同じ理屈になる。在日外国人が日本人を殺害したときは「たまたま」といい、その逆であれば「ヘイトクライム」というのは、悪質な人種差別思想でしかない。

このような差別的な陰謀論の流布を許しておけば、仮に大規模な自然災害が首都を直撃した際には日本人の女性や乳幼児などの弱者が危険にさらされることになる。日本人を襲撃しても、報復や反撃の蓋然性は低いと考える外国人がいることは明らかだからである。

確定判決とそれを構成する証拠として採用された陳述、また刑罰によって真実性が担保された証言などを根拠とすることなく、「新聞で読んだ」とか「見た人がいる」とか

「政府が言及したことがある」といったあいまいな表現で陰謀論は語られる。「関東大震災朝鮮人虐殺」という陰謀論が語られる一方で、前述した伊藤博文初代総理大臣暗殺事件のような朝鮮半島出身者による日本人殺害事件は、現代の教科書では、裁判で明らかにされた事実を無視して被害者に非があるかのように記述され（伊藤は朝鮮半島の直接統治に批判的立場であった）、終戦後の朝鮮半島で大規模に発生した日本人ジェノサイドに至っては完全に歴史教科書から抹殺されて、証言の一部が『竹林はるか遠く日本人少女ヨーコの戦争体験記』（ヨーコ・カワシマ・ワトキンズ著、ハート出版）などに残るのみである。

大規模な災害時には、人種差別的な流言飛語である「デマ」に決して騙されないようにしなければならない。デマは、私たち日本人の生命財産を侵害する目的で流されるのだから。

皇族差別を定めた〈悪法〉皇室典範の改正を

なぜ皇位継承権を海外にならうのか

明治初期には男性皇族が多く、その経費の問題から皇族身分の増加を抑制する政策が採られ、実際に華頂宮（かちょうのみや）の臣籍降下が為された。ところが皮肉なことに、現代では未成年の男性皇族は秋篠宮悠仁親王殿下のみとなってしまった。この現状を打開すべく、崇光（すこう）天皇（北朝第三代）を祖とする伏見宮（ふしみのみや）の直系子孫である旧皇族の皇籍復帰が議論されている。

本論は旧皇族の皇籍復帰に反対するものでは決してないが、優先すべきこととして、婚外子の皇位継承権を否定する現行の皇室典範の改正を提唱する。その理由は、一般国民や在留外国人にまで認められている権利が、皇族に対してのみ認められていないのは「差別主義」だからである。

本邦の皇位継承権の在り方を論じる前に、参考として王室を戴く諸外国の王位継承法を紹介しよう。なぜなら、第二次世界大戦後の主権喪失下に制定された現行の皇室典範は、我が国本来の皇位継承法を否定し、諸外国の王室で採用されている王位継承法をそのまま輸入して我が国の皇室に適用するという愚を犯しているからである。

たとえば、ベルギー国王は、ヴェッティン伯ディートリッヒ一世（?～九八二?）の男系男子でなければならず（ただし男系限定の規定は一九九一年まで）、スペイン国王はエスベイ伯ロバート二世（?～八〇七）の男系男子でなければならない。また、明確な男系男子の継承法はないが、イギリス次期国王のチャールズ皇太子、ノルウェー国王、デンマーク国王（現マグレーテ二世女王陛下は男系女子にあたる）は共通して、オルデンブルク伯エリマール一世（一〇四〇～一一一二）の男系男子または男系女子である。ここまでは日本と似ているが、英国とオランダを除く王位は「サリカ法」といって、「王位継承者は嫡出の男系男子に限る」といった制約がある。

サリカ法は王位継承に実子であるという生物学的要件と法律に定められた婚姻による出生という政治学的要件を求めている。これは、現行の皇室典範第六条が法律婚の後に出生した者でなければ皇族の地位は与えられないとの非嫡出子の差別規定を残していることと同じである。

王位継承権に生物学的条件と政治学的条件の二つを要求する王室は多い。たとえば、イギリス王国は、ハノーヴァー選帝侯妃ソフィアの子孫であること（男系女系といった概念はない）、それにカトリック教徒ではないことが（二〇一三年まで）要求され、オランダ王国は初代国王のウィレム一世とその配偶者の子孫であること、並びにオランダ議会が承認した結婚から生まれた者であることを王位継承権者に求めている。

しかし、わが国本来の継承権は生物学的条件のみが要求され、「母親の身分」といった政治学上の要求は存在しなかった。

わが国の皇位継承権制度の変遷をたどると、以下のようになる。

第一に神武天皇の男系子孫に限り、
第二に継体天皇の御代から天皇五世以内の男孫まで皇位継承範囲が拡大され、
第三に推古天皇の御代から男系男子に即位できない事情があるときは天皇五世孫以内の男系女子に皇位継承権が認められ、
第四に明治になって天皇五世孫であっても男系女子の皇位継承権が欠格し、

第五に大東亜戦争後、天皇五世以内かつ法律婚から出生した男系男子の嫡出子に限定され、天皇の皇子であっても婚外子の皇位継承権が欠格した。

この第五が問題なのである。わが国が史上初めて異民族の統治を受けたことにより、サリカ法が皇室典範に取り入れられた。そして今、第六の変更を加えようと、「女系天皇」が議論されているのである。はたして、日本に他国のルールをそのまま適用することが、わが国の繁栄に資するのだろうか。

なぜ非嫡出子を認めないのか

たとえば秋篠宮悠仁親王殿下が近い将来、交際相手の女性と御子をおつくりあそばされても、その御子は神武天皇の男系男子であるにもかかわらず、驚くべきことに皇族になることはおろか、悠仁親王殿下を父親と定めることさえ現行の皇室典範は禁止している。すなわち、殿下が交際女性と仮に婚姻前に子供ができたとしても、皇族とは認められないのだ。

歴代天皇の中で、婚姻によって出生した御子が天皇に即位された例は稀である歴史に照らせば、伝統と慣習を否定したことは忌々(ゆゆ)しき問題であるといえよう。我が国の皇族とは、男性皇族を生物学上の父親とするすべての子どもたちのことを指すべきだ。「嫡出」を皇族の身分要件に定めたことは、我が国の悠久の歴史を覆すものだ。

同時に、この「男性皇族と交際相手の女性から生まれた子どもを皇族にすることは禁止する」と定めた皇室典範第六条が、男性皇族に対して産出抑制の圧力をかける深刻な差別制度であるという観点からも、改正の必要がある。

一般国民の場合は、婚姻前に交際相手と子供をつくった後、認知（民法第七百八十一条）してその子の母親と結婚すれば「準正」（民法第七百八十九条第一項）といって嫡出子の身分を得る。にもかかわらず、一般人に認められているこの権利を、皇族に限っては否定しているのである。

皇室典範には「認知」や「準正」といった実体法上の規定がないため、悠仁親王殿下が交際女性と御子をもうけられたならば「誰が父親か」さえ確定することが法律上は不可能なのである。参考までに東京高裁判決平成元年七月十九日は「天皇の日常生活は私法の定めに従う」と指摘したが、上告審（最判平成元年十一月二十日）は「天皇に民事裁判権は及ばない」と判断した（最高裁判所民事判例集第四十三巻十号千百六十頁）。

一般国民が当然のこととして認められている法律行為を、皇族のみ制限することに首肯できる理由はない（選挙権などの政治参加はともかくとして家族関係を制限すべき理由はない）。生物学上の父子関係の存在確認を要件とした「認知」と「準正」の規定が皇室典範にはどうしても必要である。

以上から、わが国の皇位継承権の正当性において、「どのような状態で生まれたか」といった条件が必要である理由は毫もなく、現行皇室典範第六条が「嫡出」であることを皇族の資格に求めていることはぜひとも改正しなければならない。

もちろん旧皇族の皇籍復帰も重要である。だが、秋篠宮悠仁親王殿下が交際相手の女性とお子様をもうけられた際、そのお子様に「皇族」の身分を与えることが先決であり、これは将来にわたって男性皇族の数を安定させることに必ず資するものである。

皇室典範に認知と準正を認めることは、側室制度以前の問題である。一般国民に認められている権利を皇族に対してのみ否定する重大な差別政策を、私たちは断固として反対しなければならない。仮にお相手の女性がどのような女性であっても、男のお子様がお生まれになったならば、皇胤である。

アメリカの〝国の在り方〟を踏みにじった大統領選

「法の支配」と「法治主義」を峻別するもの

トランプ大統領と民主党のバイデン候補が戦った二〇二〇年秋のアメリカ大統領選挙は、私たち日本人がこれまでに最も関心をもって見守った大統領選だった。その理由は、もはやわが国の防衛能力だけでは国を守り切れない現実の中で、トランプ大統領の掲げた反共（反中）精神が何よりも頼もしく、わが国の安全保障にとって重要だったからだ。

にもかかわらず、結果は民主党のバイデン候補の勝利に終わった。だが、そこには、反トランプ陣営による票の操作や不正投票の可能性など、大きな疑問が残ったままだ。加えて、大統領選を巡る報道や意見には、個人と報道機関とを問わず、現実とは相容れない、トランプ大統領への悪意に満ちたもの、見当違いなものが目立った。それもこれも、アメリカ建国の理念である「法の支配」に対する理解が不十分なためではないだろうか。

そこで、本稿では「秩序」というものについての考え方を大きく二分する「法の支配」と「法治主義」との違いを簡潔に解説することで、アメリカの基本理念と今後の展望について考えてみたいと思う。

さて、「法の支配」と一口に言った場合、その「法」とは何を指すのかと問われたら、多くの人が「議会で可決された法律」と答えるのではないか。しかし、法の支配が意味する「法」とは、必ずしも立法機関が制定したものを指すとは限らない。それは常識と慣習から導かれるルールを源とし、歴史的事件や国家間の紛争解決時の経験をもとに積み上げられてきたものをいう。これを「個人」に例えると「育ち」と言い換えられるであろう。法の支配は国権を規制するが、個人の場合は育ちが行動を規制する。育ちの良さとはテーブルマナーの知識云々ではなく、個人の行動を律する規範意識のことである。

例えば、性欲を持て余し、かつカネがあったとする。ここで「出会いカフェ」などに行って女性を求めるのは育ちが悪い（＝規範意識が薄い）人である。育ちの良い人は、そうしたことを「違法」と考え、性的衝動を抑制する。この「違法」は成文化されたものではない。規範意識としてすでに完成されているものだ。

その人が具体的にどのような環境に生まれ育ったかはわからないにしても、飲食店従業員やタクシー運転手に対する態度、宴席で酩酊したときの言動などに「育ち」を見ることができる。とくに、酒を飲むと、前頭葉機能が低下する一方で、大脳辺縁系に蓄積された経験則が顕在化する（酔っても家に帰れるのは、家への帰路は反復した経験則があるためだ）。

育ちがよければ、悪い付き合いはせず、異常なふるまいをすることなく、困っている人がいたら助けようとし、当然、犯罪にかかわる機会も抑制される。

この個人にとっての育ちこそ、国家の「法の支配」における「法」である。国王であろうと大統領であろうと、等しく「国家の育ち」という経験則の下にある。経験は付け足すことはできても、変えることはできない。過去は決して変えられないからだ。

つまり、育ちがよい国であれば、経験則がまったく異なる外国の人々をむやみに国内に入れたりせず、異常なふるまいをせず、拉致された人がいたら救い出し、もちろん臓器摘出などの犯罪は決して見過ごさない。経験則に違背（いはい）することは許されないのである。

自由の条件は「育ちの良さ」

反対に、育ちの悪い人に対しては、生活上「厳しいルール」を定める必要がある。それがすなわち「法治主義」である。法治主義とは、多種多様な、常とは異なる経験則まで考え合わせて秩序をつくり出すことだ。

たとえば、高級ホテルのロビーのトイレで「トイレットペーパーを持ち帰らないでください」といった注意書きを見たことはないが、高速パーキングエリアのトイレなどでは、そのような注意書きを目にすることがある。

学校や会社などで校則や社則が決められるのは、育ちが悪い（＝規範意識が薄い、もしくは未熟な）人々の集まりの中で秩序を保つためである。軍隊の規律がとくに厳格なのは、ナポレオン戦争以降、さまざまな社会階級の人々を集めて軍隊を組織したため、法治主義で兵士を厳しく律する必要があったからである。わが国では明治以降、軍隊は武士階級ではなく、徴兵制によって農・工・商さまざまな階級の国民で組織されることになった。

逆に言えば、経験則を共有する育ちの良い（＝規範意識が強い）人々で形成される軍隊では、軍律を厳しくせずとも秩序が保てることになる。

たとえば、アメリカ軍では、南北戦争以後、脱走・敵前逃亡の罪で銃殺された兵士は、第二次大戦下のエドワード・ドナルド・スロヴィク二等兵ただ一人しかいない。同時代の独裁国家では軍法会議によって次々に銃殺刑が執行された一方で、米軍で銃殺に処せられたのは南北戦争後、このスロヴィク二等兵のみであることは、「自由」と「法の支配」がきわめて密接な関係にあることを物語っているのではないか。

自由の前提として「育ちの良さ」がある。それぞれ育ちの異なる個々人の集団に自由を認めてしまえば、秩序は崩壊する。その場合は徹底した法治主義で自由を否定しなければならない。これが、三百以上の王国・領邦の集合体である神聖ローマ帝国や、歴史も文化も言語も異なる五十六の民族で構成される中華人民共和国が、法治主義を徹底せざるを得なかった理由である。ところが、育ちの良い人々に対して人為的なルールは必要ない。育ちの良さゆえに個人は規範意識を持ち、法の支配を犯すことがないため、自由主義が成立する。

「育ちの良い人々」は、自国の歴史や規範を大事にする。すなわち、一般的に「保守」と呼ばれる人々のことである。

独立戦争・南北戦争を戦ったパトリオットの子孫はいま

　さて、「保守」という「育ちの良い人々」の目に、トランプ氏とバイデン氏の争いとなったアメリカ大統領選の混乱はどのように映っただろう。選挙当日より後に集計された郵便投票は、建国当初から許されていた慣習だろうか。数々の不正目撃証言に対して公平な審問権は保障されていただろうか。総じて、二〇二〇年大統領選挙は「常識と慣習」に従って執り行われていたと言えるだろうか。

　アメリカにとって選挙執行における公正の担保とは、わが国の「国体」にあたる、国の根幹を成すものである。わが国の保守主義者は、国体護持の常識と慣習に反する「女系天皇」など認めるだろうか。「皇位継承者が一名しかいないから」などという姑息な理由による変更を認めるだろうか。そんなことはあり得ない。それと同じ気持ちを、アメリカの保守主義者たちは抱いている。

　かつてアメリカでは、パトリオット（愛国者）とロイヤリスト（親英派）に分かれて十八世紀の独立戦争を戦い、パトリオットが勝利して法の支配に反するイギリス本国の課税から逃れ、独立国家となった。また十九世紀には、黒人奴隷に市民権を与えることはできないと判断を下した最高裁判所の判決（ドレッド・スコット対サンフォード事件 Dred Scott v. John F. A. Sandford）に納得できない人々が銃をとり、パトリオットとレベルス

（反乱軍）が南北戦争を戦い、パトリオットが勝利して法の支配に反する奴隷制度が廃止された。

現代のパトリオットは、今回の大統領選挙の在り方が法の支配に基づくものと認めたのであろうか。

アメリカ人が銃で武装する権利を、アメリカ連邦最高裁は二〇〇八年六月、次のように説明している（District of Columbia v. Heller　554 US 570-2008）。

「憲法修正第二条は、民兵への従軍と関係しない銃を所有し、郷土内の防衛など伝統的に合法である目的に於いて個人が銃を使用する権利を保護する」

アメリカにおける法の支配の「法」は、自由な国家の安全にとって必要であるから、武器を保有・携帯する権利を侵してはならないと明確に定めているのである。

それでは、今般の大統領選挙の在り方は、「自由な国家の安全」に従うものであったと、果たしてパトリオットから見なされたのであろうか。

バイデン氏が就任式を経てアメリカの新大統領となった後もなお、アメリカ大統領選の真実を追究すべき理由はそこにある。

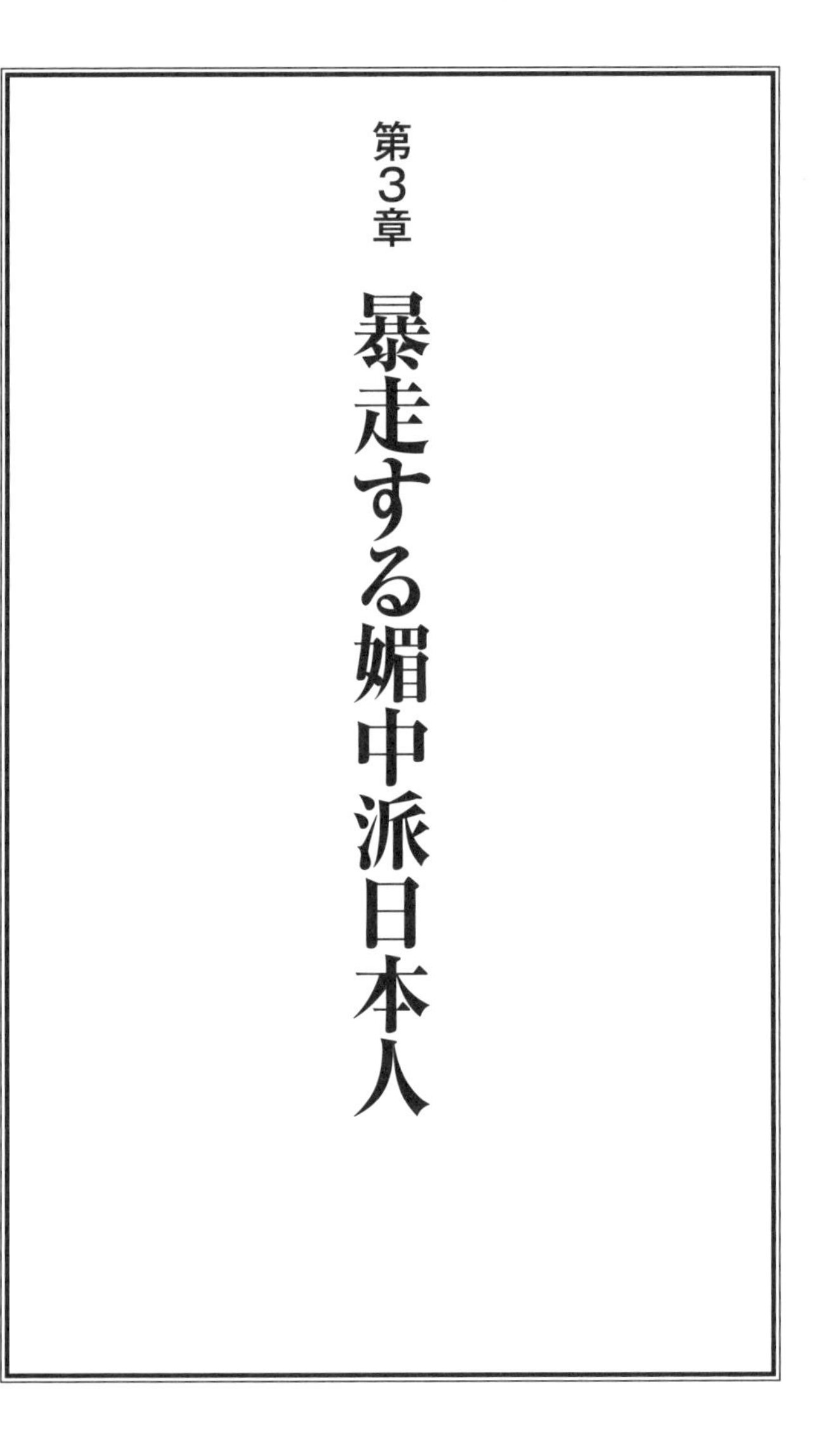

第3章 暴走する媚中派日本人

ウイグル人弾圧に加担する企業の大罪

ユダヤ人への強制労働で儲けた「クルップ」と対比される日本企業の罪

中国共産党政権によるウイグル人弾圧は「ジェノサイド」（民族抹殺）であるとの批判の声が世界中で巻き起こっている。その一方で、日米の企業がウイグル人強制労働に加担していることもまた、見逃せない大問題である。

産経新聞（令和二年十二月四日付）によると、令和二年三月のアメリカ議会調査報告書には、ウイグル人強制労働に関与した疑いがある企業として〈ナイキ〉や〈コカ・コーラ〉など、誰もが知る大手の名が挙げられている。しかもこれらの大企業は、「ウイグル人強制労働防止法案」に反対するロビー活動を行っていたという。令和三年五月には、いまやわが国を代表する衣料品ブランド〈ユニクロ〉の男性用シャツにウイグル人強制労働による原料綿が使われている疑いがあるとして、米税関・国境警備局（CBP）が製品を押収している。令和三年七月、フランスも司法当局が、人道に対する罪の隠匿の疑いでユニクロのフランス法人の捜査を始めた。

二十一世紀の現代に、特定の民族に対し、二百年前の奴隷のような強制労働が意図的に行われているとすれば、戦慄すべき邪悪な行為である。

近代におけるジェノサイドといえば、誰もがまず思い浮かべるのはナチスドイツによるユダヤ人迫害であろう。

ドイツの戦争指導者たちに対して行われたニュルンベルク国際軍事裁判の閉廷後の一九四六年十二月、「ニュルンベルク継続裁判」と総称される十二の裁判が始まった。ニュルンベルク裁判で裁かれなかったナチ戦犯のほか、ユダヤ人および捕虜の虐殺に関わった裁判官や医師、そして企業家も裁きの対象となった。

これらの戦後裁判に対して「事後法である」との批判がある。しかし、これは東京裁判に対してはあてはまるが、ナチスドイツの犯罪を追求する際には、この批判は無理がある。ご承知のように「事後法」とは、それが行われた時点では違法ではなかった行為の刑事責任を、あとから問うものである。しかし、「特定の民族（この場合はユダヤ人）を、女性・子供を含め虐殺してはならない」などといった法律を、ホロコーストを予測して果たして事前につくれるものだろうか。また、事後法が禁止されるのは、人々が「何が法律違反になるのかわからない」という不安から積極的な行動を控え、社会全体が委縮してしまうのを防ぐためである。言い換えれば、「自分の行動が犯罪になるとは予見できなかった」ケースを裁くことはできないのである。翻って、「ユダヤ人虐殺が悪いこととは予見できなかった」という理屈は通らない。事実、敗戦間際に絶滅収容所の隠蔽工作をしていることからも、当のナチスに「悪いことをしている」といった自覚があったことは容易に想像できる。

さて、そのニュルンベルク継続裁判のなかでも、注目すべきは「クルップ裁判」である。ドイツの大手製鉄・兵器製造企業であるクルップ社は、第二次世界大戦中にドイツ政府から大量の工業製品を受注・生産した。問題とされたのは、その生産過程においてユダヤ人を強制労働させ、過酷な労働によっておよそ七万人を死亡させたという罪状だ。裁判の結果、クルップ社の社長以下役員は懲役十二〜十三年の刑に処され、不正蓄財として全財産を没収された。

二〇二〇年五月二十五日、在日ウイグル人らによって結成されたNPO法人日本ウイグル協会は「ウイグル人の強制労働に関与している疑いが浮上している日本企業への公開質問状」と題した文書を公開した。そこには、日立、三菱電機、ソニー、東芝、ユニクロなど、日本を代表する大手企業十一社の名が挙げられていた。これらの大手企業は、ただちに書面あるいはメールで「ウイグル民族の強制労働によって製品を生産したことはない」と回答した。しかし、唯一パナソニックだけが質問状を無視したことを、日本ウイグル協会は公表している。

二〇一九年の米国務省報告書は、中国における人権問題を取り上げ、中国の臓器移植手術に関する学術論文について、「全体の九九%を占める四百四十本の論文は、ドナーに臓器提供の意思があったかどうかを報告していない」と指摘した。

人道に対する罪を裁くにあたっては、前述の通り、事後法と批判することはできない。なぜなら正常な人間である限り、特定の民族というだけで強制収容し、強制労働させることの善悪は判断がつくはずだからである。「特定の民族を虐殺してはいけない」などという言わずもがなの法律をわざわざつくる必要はない。自然犯（成文化された法律を必要とせず、人類が普遍的に犯罪だと認識する行為。強姦、窃盗、殺人など）を大規模にした行為がホロコーストである。

ユダヤ人の強制収容で金儲けをしたクルップ社と経営陣がどのような処分を受けたか。

その歴史を、すべての企業は再認識すべきである。とくに、米議会の調査報告によって告発された企業は、東京オリンピックの公式協賛企業にも名を連ねていた。ウイグル人強制労働被害者の血と涙で汚れた製品を平和の祭典で使うことが、果たして人道上許されることなのだろうか。東京五輪を終え、二〇二二年二月の北京五輪を前にして、多くの人に「正義」を真摯に考えてほしいと切に願う。

「ウイグル人を救え」という中共非難決議も見送る日本の脆弱

腰抜け外務省

毎日新聞（令和三年一月二十六日付）によると、中国共産党政府によるウイグル民族迫害をアメリカが「ジェノサイド」（民族抹殺）と認定したことに関し、日本政府の対応を議論する自民党外交部会の場で、外務省担当者は「ジェノサイドとは認められない」との立場を明らかにした。これに対して、現場にいた佐藤正久参議院議員や山田宏参議院議員らが自身のツイッターで「この見解の是非を糺さなければならない」と怒りをあらわにした。

これまで日本政府は、「締結した条約等および条約に準ずる国家間文書」に違反した場合を除き、特定の国家への非難決議については極めて慎重な姿勢をとってきた。韓国の従軍慰安婦訴訟、北朝鮮のミサイル問題や拉致事件に対しては、国家間で交換した文書に違反するとの理由で非難しているが、たとえば国連内でも、「同性愛」を凶悪犯罪と法定して死刑の対象とする国家の行為に対する非難決議に、日本政府は反対の立場をとっている。

一方、行政府とは異なり、立法府は、他国の主権侵害にあたる核兵器については非難決議を複数可決している。たとえば「アメリカ、中国の核実験に抗議し、フランスをはじめあらゆる国の核実験に反対する決議」（昭和四十八年七月九日）、「インドの地下核実験に抗議する決議」（昭和四十九年五月二十七日）、「中国の核実験に抗議し、フランスの核実験に反対する決議」（平成七年八月四日）、「中国の核実験に抗議し、反対する決議」（平成八年八月十七日）、「インドの地下核実験に抗議する決議」（平成十年五月十三日）、「パキスタンの地下核実験に抗議する決議」（平成十年五月二十九日）などが挙げられる。

ウイグル民族へのジェノサイド非難ができないとする理由はどこにもないはずだ。

通常国会で非難決議もできず閉会とは

だが、日本政府には基本的人権を無視し、人権弾圧を看過した前科がある。一九八九年六月四日、中国人民解放軍が大勢の市民を虐殺した天安門事件に対し、世界は中国共産党政府の非人道的行為を大声で非難した。しかし唯一わが日本国のみが人権を踏みにじる中国のやり方を擁護し、あまつさえ天皇陛下の訪中を実現させて、中国の民主化弾圧を正当化してしまった。中国共産党のこうした法の支配に対する挑戦に、日本政府は二度と加担してはならない。

現在の中国共産党によるウイグル人に対するジェノサイドは、実に複雑な事情を含んでいる。それは、他のジェノサイドが、民族意識や宗教意識から、対立する民族や宗教関係者を虐殺あるいは抹殺せんとするもので、その域を出ることはなかったのに対し、ウイグル人ジェノサイドには、複数の大手企業が密接に関係しているからである。つまり、中国に安価で委託した工業商品の生産がウイグル人強制労働によって支えられ、それが膨大な企業収益に結びついている。そのため、その企業から巨額の献金を受け、支持基盤としている政権にとって、ウイグル人ジェノサイドを非難することは極めて難しいということになる。

しかしながら、米バイデン政権もジェノサイドと断定する中で、ひとりわが国のみがこれを認めないのは、わが国が基本的人権を軽視していることを内外に知らしめることにほかならない。これによる国益の喪失は、計り知れないものがある。

ただし、一九四八年に国連で採択された、国民・人種・民族・宗教上の集団を殺害し迫害する行為を国際法上の犯罪とし、これを防ごうとするジェノサイド条約に、わが国は参加していない。その理由は、条約批准国にはジェノサイドを行っている国に武力介入する義務が生じるが、日本国憲法第九条がある以上、わが国にはそれができないからである。また、他国の国家としての「政策」に対して行政府による直接的非難はできないとの見解もある。

たしかにシリアにおける邦人へのテロ行為に対する非難決議案（第百八十九回国会、決議第一号）のように、非難対象が国家ではない場合は、比較的容易に非難決議をした事例があるものの、「憲法九条があるからジェノサイドを認められず、非難もできない」というのは詭弁でしかない。

かつて日本はユダヤ人虐殺を行った国と同盟を結び、事実上その非道を認容した前科がある。日本政府はユダヤ人を差別せず、ナチスドイツのユダヤ人殺害の要請を拒否したとはいえ、ユダヤ人虐殺を非難した形跡は一切なく、それが今日の対日史観を悪化させたことは否定できない。日本は、かつての過ちを再び犯すことなく、基本的人権を擁護し、法の支配を守らなければならない。

衆参両議会はただちにウイグル人などへのジェノサイドに対する非難決議を採択し、政府も同趣旨の非難を閣議決定すべきである。にもかかわらず中国の国名を外した上での決議案に対しても公明党などの反対によって令和三年の通常国会では採択されることがなかった。世界に恥を曝(さら)すことになったが、このままでは、かつての過ちを再び犯すことになりかねない。

中国の侵略を支援する日本人研究者を弾劾せよ

「内なる敵」に対して鈍感だった日本

令和三年元日の読売新聞が、海外から優秀な研究者を招致する中国の「千人計画」に、少なくとも四十四名の日本人研究者が参加・関与していたという恐るべき事実を報道した。日本政府から多額の研究費助成を受け取った後、人民解放軍に近い大学で教えていたケースもあったという。

千人計画とは、表向きは優秀な研究者・技術者などを広く募る中国独自の国家プロジェクトであるが、実質的には人民解放軍による軍拡計画である。アメリカ司法省は「他国の技術と情報を盗み、輸出管理違反に対して報酬を与える」ものだと定義した。その最終目的が中国共産党による軍事侵攻にあることは明らかである。

わが国政府は、経済や安全保障の重要技術の流出を防ぐため、政府資金を受けた研究者の海外関連活動について原則として開示を義務づける方針を固めたと読売は報じている。

これに先立ち、平成二十八年五月二日付の産経新聞で、京都大学原子力研究所に所属する男性准教授が朝鮮労働党系列の団体から資金提供を受け、日本を狙う核ミサイル開発に参画していたとして日本政府から個人として制裁（再入国禁止措置）が課せられた事件を報じていたのも記憶に新しい。

外にばかり目を向け、「内なる敵」に対して鈍感であったことを私たちは反省しなければならない。わが国の現行刑法が定める「国家法益」にあらためて目を向ける時が来ていると言えるだろう。

国家の存立に対する罪には「内乱罪」と「外患罪」とがあり、内乱罪は「反政府武闘争を行う行為、日本国から分離独立を宣言する行為」、外患罪は「外国軍隊に、日本国に対し武力を行使させる行為、日本国に侵攻した外国軍隊に従軍する行為」と定められている。どちらも重大な凶悪犯罪であるから、最高刑は死刑であり、実行に向けて準備をしただけで予備罪に問われる。

しかし、これらの国家法益に対する罪は、日本国憲法下では起訴された前例がないので、同じく国家法益の保護を目的とする治安維持法の判例を参考までに見てみよう。一般的に治安維持法は「思想犯罪」を取り締まるものと誤解されているが、実際のところ「思想」のみを理由に処罰された事案は存在しない。ほぼすべてが強盗致死傷や殺人、窃盗、威力業務妨害などとの併合罪、ないしは牽連犯（犯罪の手段、または結果となる行為がほかの罪名に触れること。たとえば、窃盗のため他人の住居に侵入した場合など）である。立法の背景には、国家転覆に必要な活動資金を得る目的で、銀行強盗や住居侵入窃盗を働いた場合、その「思想」を犯行動機とする考え方がある。

さて、「国家法益」については大審院（日本国憲法下の最高裁にあたる）刑事部昭和十八年九月一日判決（事件番号昭和18年〈れ〉第651号原審樺太地方裁判所）に次のような文章がある。

「邦土ノ一部ヲ統治権ヨリ離脱セシメンコトヲ画策スル場合ヲ包含スル」

つまり、日本の統治が及ぶ地をその統治権から離脱させること、およびその画策（準備）は「国家法益の侵害」にあたる。これを現在の日本を取り巻く国際状況に照らして考えてみよう。あらためて言うまでもなく、中国共産党は沖縄県の尖閣諸島の領有を宣言して軍艦が接続水域を航行し、中国共産党機関紙の「人民日報」は「沖縄は日清戦争によって奪われた土地であり、沖縄の領有権は国際的に未確定である」と、その侵略の意図を内外に堂々と示している。

以上を踏まえて、中国の軍事研究に協力することが、なぜ犯罪の構成要件を成立させると言えるのかを考えてみよう。

日本学術会議は外患誘致罪で摘発されるべきか?

わが国の刑事法は「条件説」という考え方によって犯罪の成立を定義している。「あれ（行為）なければこれ（結果）なし」というものである。たとえば、船上で強姦されかけた女性が加害者から逃れようとする過程で海中に落ちて溺死した場合、被害者の死亡と加害者の強姦未遂には条件説の成立が認められる。

人民解放軍が使用する兵器の開発に日本人研究者が協力していた場合は当然として、「本来ならば中国人研究者がするはずの研究作業を日本人が行ったため、中国人研究者の手があいて軍事研究に従事することができた」場合も同様である。日本人が基礎研究に協力しなければ中国人研究者らが軍事目的の応用研究をする余裕ができなかった、つまり「あれなければこれなし」の条件説が成立するからである。

これまで人民解放軍に協力した日本人研究者らの言い分には、「日本政府から資金提供があろうと、日本国のための（日本人の生命財産を守るための）防衛研究はしない」と言う日本学術会議のような主張がある一方、「日本政府が金を出さないから、多額の援助をしてくれる中国で研究を続けることになった（中国に協力した）」と詭弁を弄する悪質極まりない擁護する声がある。

だが、これは「日本人殺害の悪意」を隠そうともしない国家法益に反する犯罪である。外国軍隊に、日本国に対し武力を行使させる外患罪（外患誘致罪）に等しい。これは祖国への裏切りであり、最大の破廉恥行為とされる。

私たち国民は、こうした凶悪犯罪に対して厳しい処罰を求めなければならない。いま声を上げなければ、あなたの子や孫が同胞の裏切りによって殺されていく時代が、やがてやって来るかもしれないのだ。

日本に中国人コロナ感染者を入れたのは誰だ

感染した入国者を殺人罪では裁けない？

二〇二〇年初頭から今日まで続いている中国武漢発のコロナ禍。

そもそも、日本国内初の新型コロナウイルス感染症患者は、三十代の中国人男性だったという（令和二年一月十六日付産経新聞）。その後もしばらくは感染者の国籍の内訳が報道されていたが、ある時を境に国籍情報は隠蔽され、一切公表されなくなったことは記憶に新しい。

感染拡大から一年半が経ったいま、改めて新型コロナウイルス発生源とは別に「日本国にウイルスを入れた責任」は誰にあるのかを議論をすべきではないだろうか。ここでは刑事責任の在り方に関する歴史的背景の説明を以て、これからの日本にあるべき刑事司法について述べたく思う。

いま日本が採用している刑法は、明治時代にドイツ第二帝国から輸入したものである。この刑法の特徴は、東ローマ帝国が制定した法律を準用し、責任の在り方を「犯罪の故意」に求めている点である（刑法第三十八条第一項）。

これに対してイギリス刑法をはじめとする英米の刑法は、責任の在り方を「犯罪の結果」に求めている。では具体的に、この二つは何が違うのだろうか。

たとえば、犬を散歩させている人がいたとする。犯人がこの犬を殺害する目的で投石し、間違って飼い主の顔面に当ててしまい、飼い主が死亡したケースを考えてみよう。

イギリス刑法では投石と死亡の因果関係が明白であり、投石を正当化する理由（正当防衛など）もないことから殺人罪が成立する。

しかしドイツ刑法を採用するいまの我が国では、この場合、殺人罪は成立しない。というのも、投石の目的は「犬の殺害」であるから、これは器物破損罪の故意を持っていたことになる。だから誤って飼い主に当てたことは器物破損罪未遂となるのだが、刑法に器物破損罪の未遂罪はないので、これを裁くことはできない。我が国では「犯罪の故意（犯意）」に責任があると考えるため、犯意さえなければ（いくつかの過失罪はあるにしろ）、殺人罪などの重大犯罪は成立しないのである。

この考え方を今回の感染拡大にあてはめれば、新型コロナウイルスで大量の死者と経済破壊の結果が生じたが、感染者の入国が日本人の殺害を明確に意図していない限り、責任はないのである。

言い換えれば「気づかなかった」「理解できなかった」ために重大な犯罪が生じたとしても罪に問うことはできない。金属バットなどで殴って死亡させたとしても「死ぬとは思わなかった」と供述すれば、殺人罪が成立しない事案があるのはこのためである。もちろん、この考え方にも主観説（本人の知能指数や認知能力に準拠して決める）か、客観説（社会通念に準拠して決める）かの争いはあるが、基本的には「故意でさえなければ重大な結果が生じても責任はない」のだ。

「犯罪の結果」をどう裁くべきか

なぜ英独で法律論がこのように分かれたのだろうか。それには、社会背景の違いがある。

ドイツ帝国はユンカーと呼ばれる農耕貴族が官僚や軍人となって、国家中枢の重職を占めていた。農村であれば、故意でない限り「うっかり」火を付けたり、人を殺してしまっても、その被害の規模は小さい。農具を誤って他人にぶつけてしまい、あるいは牛馬が暴走しても「誰かのミスで大量の人命と財産が失われる甚大な損害」が生じることはまずあり得ない。家が燃えても隣家と距離があるため延焼も限定的だ。こうした農業国の社会構造が、「故意犯」のみを裁き、「うっかり」は裁かないルールを作り出した。

一方、イギリス帝国は早くから工業化が進み、たとえば炭鉱ではワットの開発した蒸気機関によって地下水を排出していた。そこで誰かが炭鉱の排水システムを誤動作させて壊してしまおうものなら、坑内排水ができず坑夫が全員溺死し、かつ石炭採掘はストップしてしまう。その「負の連鎖」は甚大である。故意で人を殺しても被害者は通常、数名にとどまるのに対して、「うっかり」は大量殺人を引き起こす恐れがある。それが工業国イギリスの社会事情であった。

江戸時代の日本も同じである。木造家屋が密集する江戸において、誰かの「うっかり」で火を出せば、たちまち大火事となって大量の人命と莫大な財産が失われる。こうした社会事情から、「犯罪の故意」も「うっかり＝未来予測能力の欠如」も等しく社会的脅威と見なされたのが、イギリス刑法の「犯罪の結果を裁く」責任論である。

実は日本でも第二次世界大戦後、ドイツ刑法の支持者とイギリス刑法の支持者とが論争を続けたことがあった。最高裁判事はおもにドイツ刑法の考え方を支持し、東大総長などのグループはイギリス刑法を支持した。ここから、ドイツ刑法支持は「保守的」であり、イギリス刑法支持は「革新的」であると一般に考えられるようになった。

しかし、「保守」という言葉を厳密に定義すれば、それは歴史的経験則に蓄積された情報を余すところなく社会体制に反映させる考え方をいう。この点から法律論の保守革新を論じるのであれば、イギリス刑法こそ保守的であり、経験を超越した「理性」が正義を実現するという前提に立つドイツ刑法は保守的とは言えないと私は考えている。

さて、話を戻して、新型コロナウイルス感染症患者を入国させた責任の所在であるが、ドイツ式に考えるならば、「わざとしたわけではない」「まさかここまで大ごとになるとは思わなかった」「ちょっとした風邪くらいに考えていた」などの理由で予見可能性がなかったというのであれば責任を問うことは出来ない。

これがもしイギリス式であれば、「なぜ感染者の入国制限をしなかったのか」「なぜ安倍前総理が入国制限していたのに解除したのか」との視点で責任の所在が論じられて然るべきである。なぜなら、「ウイルスによる人命の損失」と「ウイルスによる経済的打撃」という「結果」が現実として存在するからである。

「犯人を捜すよりみんなで団結していこう」と、曖昧なままにしておきたい勢力があって、そのほうが建設的だと主張することも可能であるが、責任の所在を明確にしておかなければ、必ず同じ過ちを再び繰り返すだろう。経験に学ぶことを放棄するからである。

もはや、日本はかつての農耕社会ではない。誰かの「うっかり」で大量に人が死ぬこともある高度に複雑化した社会となったのである。この中で、旧来のドイツ式刑法を今後も採用することが国益に資するのか、それともイギリス式刑法を新しく取り入れて、「コロナ騒動の国内犯」(それは中国に強い親和性を持つことで中国から初期感染者の入国を認め、入国規制論を排除した政治権力者である)を特定することが日本の国益となるのか。それこそ国民が議論すべき問題である。

第4章 暴走する狂気の独裁国家

海保よ、武器をとって「海警法」から国民を守れ

「殺してもいい」中国と「撃ってはいけない」日本

令和三年二月一日、中国海警局の軍用船舶に対し、日本領における日本人殺害を事実上許可する「海警法」が施行された。

日本の海上保安庁には、武器使用に国際慣習から著しく逸脱した法的制限が加えられている。他方、中国の海警局船舶は今回施行された海警法によって「外国の組織、個人に武器の使用を含むあらゆる必要な措置を取る権限」を得た。日本の領海防衛はいよいよ深刻な状況に陥ったと言わざるを得ない。

本論は、この問題を二つの視点から論じたく思う。

第一は、海上保安庁の武器使用基準を現状のまま放置して良いのかという問題を、諸外国の武器使用基準と比較して論じたい。

第二は我が国の歴史的背景から今後予想され得る事態について考える。この二点から時局の重大性を主張したい。

中国海警局は、共産党中央軍事委員会の管轄である人民武装警察部隊に所属し、事実上の軍隊でありながら、名称は沿岸警備隊であるかのように装っている。その狙いは、日本を挑発して海上自衛隊が出動せざるを得ない事態を作り出せれば、好戦的な日本国が先に軍隊を出動したと世界的に主張することができるという点にある。

しかし、前述の通り、我が海上保安庁は、武器使用について国際的にみても常軌を逸した制限が設けられている。その根拠法となる海上保安庁法第二十条は、武器使用基準を警察官職務執行法第七条の規定を準用すると定めている。言い換えれば、死刑または無期などの犯罪に該当する場合や、正当防衛あるいは緊急避難に該当する場合にしか武器使用を認めていないのである。もちろん、警察官職務執行法がいう「犯人」とは、重機関銃や対艦ミサイルなどで武装していることなど想定していない。

つまり、正当防衛とは急迫不正の侵害を要件とすることから、まず相手方の攻撃を受けなければ反撃できないとする法律論がそのまま適用される。しかも、正当防衛が成立するか否かの諸判例に照らせば、犯人の基本的人権と守るべき個人法益との比較衡量論であるから、「防衛は最小限度」に留めなければならない。そうでなければ、過剰防衛として罪に問われる。拳銃であれば足や手などを狙うことが場合によってはできるかもしれないが、船舶搭載の二十ミリ機関砲でもそれが可能だと言わんばかりの荒唐無稽なルールである。

結局のところ、現行法は「まず海上保安官が一人以上敵に射殺されてから」の非人道的な法律である。そもそも正当防衛という「個人の法益」を海上保安庁の武器使用基準に採用していること自体、海上警備が我が国の領海を守るという「国家の法益」保護を目的にしていることをまったく理解していない。

では、諸外国の海上保安（沿岸警備）は、どのような武器使用基準を設けているのだろうか。アメリカ合衆国の基準を次に引用したい。

アメリカ合衆国権利章典第十四編第六百三十七条第A項第一号ないし第二号では、以下のように武器使用基準が定められている。

authorized may, subject to paragraph (2), fire at or into the vessel which does not stop.

指揮官は次号（2）に定められた通り、船舶または停止しなかった船舶に発砲できる。

the authorized shall fire a gun as a warning signal, except that the prior firing of a gun as a warning signal is not required if that person determines that the firing of a warning signal would unreasonably endanger persons or property in the vicinity of the vessel to be stopped.

指揮官は警告信号として発砲しなければならない。ただし、停止させる船舶に近接した人または財産に対して警告信号の発砲が不当な危険を生じさせると判断した場合、警告信号としての事前射撃は必要ない。

警告射撃をして停戦しなければ攻撃でき、警告射撃がさらなる危険を生じさせる場合はそのまま攻撃できるというのである。本論は、この武器使用基準を我が国でも直ちに採用すべきであると強く主張する。海上自衛官や海上保安官のみならず、中国は我が国の領海で操業中の漁師さえ射殺してかまわないと認めているのである。その深刻性を理解しなければならない。

海上保安官の死を待つのか

次に、歴史的背景から今後予想され得る事態について考えてみよう。

私たち日本人は、国を守る武官が理不尽に殺害されると豹変する傾向にある。これは、次の三例の歴史的事件から言えることだ。

第一は、明治八年（一八七五）に起きた江華島事件である。それまで日本は朝鮮に対して融和的な姿勢を保っていたが、砲艦雲揚号が対馬周辺海域で日章旗を掲げて測量をしていたところ、突如として沿岸砲台から朝鮮軍の砲撃を受けたため、同沿岸砲台を一時的に占領し制圧した。この過程で、我が将兵一名が殺害された。

この事件以後、地理的に近接する朝鮮へのそれまでの融和的世論は一転、国民感情は悪化の一途をたどった。江華島事件から二十四年後に刊行された福沢諭吉の『福翁自伝』では、朝鮮とは一切関係ない文脈における例えとして、サラリと「その卑劣朝鮮人の如し」（前掲同書原文ママ）という表現を小見出しに使っているほどである。

第二に、昭和六年（一九三一）六月の中村震太郎大尉・井杉延太郎曹長殺害事件である。両名は中国黒竜江省の地理などを非武装で調査していた際、敵の中国兵に捕らえられて猟奇的な方法で殺害され、遺体を凌辱された。これに日本国民は激怒し、この約三カ月後から始まる、いわゆる満洲事変を強く支持する世論が形成された。

第三は昭和十二年八月の大山勇夫海軍大尉・斎藤與蔵三等兵曹の殺害事件。上海市を自動車で通行していた両名に対して、敵が突如として銃撃を行い射殺したこの事件を受けて、第二次上海事変による治安回復を訴える声が澎湃（ほうはい）として沸き起こった。

このように、日本人とは同胞の死に対して極めて敏感である。いまも海外で事件事故が起きると先ず邦人安否情報が報道されるといった、諸外国ではあまり見られない強い同胞意識を有していることからみても、中国の傍若無人なふるまいが繰り返されるなかで万一、海上保安官が理不尽に殺害されるような事件が起きた場合、国民の激昂は計り知れないものとなろう。

政治は主権者の怒りを鎮める手段を持たない。だからこそ、でき得る限りの手段を用いて、我が国の安全を守らなければならない。

とくに、海上警備を行うにあたって、包丁一本しか持たない犯人を相手にしているかのような現在の武器使用基準は正気とは思えない。

武器そのものが対等であることはもはやどうでもよく、武器使用基準の対等こそがいま必要なのである。国を守る手段の構築に、「早すぎる」ことはない。法改正に邁進（まいしん）する硬骨の議員の登場を期待する次第である。

日本人殺害要員が日本国内に六十万人いる

危険すぎる中国の「国防動員法」

東日本大震災から十年の節目となる令和三年の二月十三日二十三時八分、福島県沖を震源地にした深さ六十㎞、マグニチュード七・一の地震が発生した。翌日、政府はこの地震が東日本大震災の余震であると発表した上で、今後一週間程度は同程度の地震が発生する可能性と注意を呼びかけた。

自然災害に乗じて騒乱や暴動が起きるのは、世界ではよくあることである。稀有な例外として、災害後のいかなる場合も秩序を保ち、礼節をわきまえる我が国民の気質は世界的に知られ、称賛されるところであるが、しかし今後はそうとばかりは言えず、恐ろしい事態が私たちを待ち受けているかもしれないのである。予想される非常事態に対して日本国民が知っておくべき事柄を以下に記しておきたいと思う。

中国は平成二十二年（二〇一〇）二月二十六日に「国防動員法」という法律を施行した。これは、中華人民共和国の国籍保持者（公民）に対して、戦争遂行に必要な法律上の義務を定めたものだが、いわゆる国際的な戦争慣例である兵士と非戦闘員の区別をあえて曖昧にした、極めて特異な法律である。つまり、ひとたび戦争が勃発するや「一般人」が直ちに「兵士」に変身するのである。

この異常な法律は当然、我が国の国会でもたびたび議題として取り上げられた。

平成二十三年二月三日、第百七十七回通常国会で、自民党の山谷えり子議員が「国防動員法が日本に在住する中国人に適用されると分析しているか」また「（一般中国人の従軍義務を定めた）国防動員法第四十九条に該当する日本在住の中国人は何人いるのか」と質問した。これに対し政府は、「国防動員法の個々の規定の解釈は差し控えたい」と回答を拒否した上で、同法に該当する在日中国人の人数については「男性は二十五万七十八人、女性は三十五万二千二百七十四人」と答えた。これは我が国の自衛官と警察官の合算総数を上回る（数字は後述）。

続いて平成二十七年八月二十六日、第百八十九回通常国会で自民党の高橋克法議員が「どのような狙いから国防動員法の整備を図ったものと外務省は認識をされているか」

と質問したところ、政府委員の大菅岳史氏（外務省）は「他国の法律でございますのでお答えすることは差し控えさせていただきたい」と答弁した。

さらに高橋議員が「このような法律、我が国としてどのように対応していくべきだと考えておられますか」と再質問すると、大菅氏は「適用除外の規定には在外中国人は含まれていないが、逆に、海外に居住する中国人にこの法律が適用されるという規定もない」と答弁している。

だが、果たして、この答弁は事実だろうか。

「孫子の兵法」に基づくもの

国会図書館海外立法情報調査室に所属する宮尾恵美調査官による国防動員法の邦訳は、このように記載されている。

第48条　この法律で国防勤務とは、軍隊の作戦を支援する任務をいう。

第49条　満18歳から満60歳までの男性公民及び満18歳から満55歳までの女性公民は、国防勤務を担わなければならない（一部抜粋）。

上記で言う「公民」とは中国の国籍保有者を意味するから、条文を素直に読めば身体障害者等を除く適齢期のすべての中国籍を持つ者に軍事作戦服務義務を定めていることになる。

にもかかわらず、外務省の「海外に居住する中国人にこの法律が適用されるという規定もない」との答弁は、国会で虚偽答弁をして国民を欺罔せしめ、中国のプロパガンダに事実上協力したことにならないか。

言うまでもなく、軍務とは敵国民の殺害を含む。つまり、同法によって法律上日本人殺害の義務を負う者が、平成二十三年時点で「男性は二十五万七十八人、女性は三十五万二千二百七十四人」、計六十万人以上がすでに入国しているのである。この人数は増加の一途をたどっている。従って、我が国の陸海空自衛隊の総員二十五万人と警察官総員二十九万人、計五十四万人を軽く上回る中国の戦闘員がすでに日本各地を歩いていることになる。

かつては暴力団が自動小銃やロケットランチャーを密輸入していたことを考えれば、客観的にみて、世界第三位の軍事力を持つといわれる無法国家が、これらの携行兵器を日本に持ち込み、どこかに隠していないと考えるほうがどうかしている。加えて、外国人によって購入され、政府がその用途実態を把握していない土地家屋が現在、日本国内に数えきれないほど存在しているのが現状だ。こうした事実を果たしてどれほどの日本人が理解しているだろうか。

何度でも繰り返すが、すでに自衛隊と警察よりも多くの「兵士」が入国しているのである。このような状況で、もし大災害に乗じて中国共産党政府から動員命令が下れば、治安維持を望むことはもはや不可能である。そもそも、本来ならば外交により真っ先に日本を守るべき外務省が、日本国民を欺き、中国の軍事侵攻作戦に協力する様相を見せているのである。

国防動員法は、「見えない戦争」の遂行のために存在していると私は分析する。すでに戦争が始まっていることを敵に気づかせないのが狙いであろう。その精神は、次に掲げる中国古典「孫子」の兵法そのものである。

故能而示之不能　能力があっても能力がないように見せる
用而示之不用　作戦を用いても用いていないように見せる

近而示之遠　近くにいても遠くにいるように見せる
遠而示之近　遠くにいても近くにいるように見せる
利而誘之　有利と見せて誘(おび)き出す
亂而取之　混乱させて奪う
實而備之　自軍が充実していないように見せて備える
強而避之　自軍が強くとも敵を避ける
怒而撓之　怒りを示して混乱させる
卑而驕之　へりくだり驕り高ぶらせる
佚而労之　自軍が何もしていないと見せて敵を疲れさせる
親而離之　敵と仲の良い国と親しくして離間させる

国防動員法の立法精神は「作戦を実行してもしていないように見せる」ものであり、まさに孫子の兵法「兵者詭道也（兵は詭道(きどう)なり＝戦争とは騙し合いである）」の名言にそのままあてはまる。残念ながら、本邦の官僚採用試験や自衛官・警察官の昇進試験は孫子の精神を知らずとも合格し、昇進できる制度となっている。

日本はいま極めて危険な状況にある。中華人民共和国自体の歴史は七十年余にすぎないが、かの大陸では数千年にわたって凄惨な戦乱が続いている。「どのような手を使っても生き残る」という精神史の積み重ねは古代ギリシャ・ローマに匹敵することを私たちは再確認すべきであって、決して侮ってはならない。

東日本大震災当時は「国防動員法」が施行されてまだ一年少しだったため、具体的運用体制が未整備であったものと推測できる。だが、施行から十年以上が経過した現在、体制は万全と想定すべきである。大規模災害による国家機能の一時的麻痺は、戦端を開く絶好のチャンスなのだ。

まさに国民が一丸となって覚醒しなければならない我が国存亡の秋（とき）である。

「中国は日本の敵である」と国際社会に明言せよ

政治とは敵と味方を峻別すること

中国武漢発の新型コロナウイルスの猛威は、日本及び世界中の国々にとっては経済的損害にとどまらず多くの人命を奪った。

アメリカにおける「戦死者」の歴史を振り返ると、第一次世界大戦では五万三千四百二人、第二次世界大戦のアジア・太平洋戦線では十万六千二百七人、朝鮮戦争では三万六千五百七十四人、ベトナム戦争では五万八千二百二十人が死亡した。

そして今、新型コロナウイルス感染によってすでに六十一万人以上が死亡している（感染者数は三千五百万人弱。二〇二一年七月末日現在）。第一次大戦、ベトナム戦争の十倍以上の死者数である。にもかかわらず感染源の中国は謝罪するどころか、感染拡大はアメリカの責任だと居直ったりもした。

世界の秩序は、これまで四度、大きく組み替えられている。最初は、ドイツ三十年戦争後の一六四八年から始まったヴェストファーレン体制であり、次はナポレオン戦争後のウィーン体制（一八一五年）、三度目は第一次世界大戦後のヴェルサイユ体制（一九一九年）、そして第二次世界大戦後のヤルタ・ポツダム体制（一九四五年）である。

そして今回、新型コロナウイルスを拡散させ、世界中で四百万人以上もの死者を出した「責任の所在」が明らかにされた時、日米英を基軸にした新しい国際同盟が発足し、五回目の世界新秩序が必ず始まることだろう。すでに武漢研究所からなんらかの形でウイルスが漏れたとの報道が英米の研究所や報道機関などの権威ある筋から言われだしている。

真実が判明したその時こそ、我が国が「敗戦国」として辛酸をなめた戦後は終わる。北朝鮮が拉致を実行したことを金正日が小泉首相に認めた時、一つの前進があったではないか。あの時以降、「朝鮮民主主義人民共和国」という国名を長々とニュースで読み上げることもなくなった。『北朝鮮に憑かれた人々　政治家、文化人、メディアは何を語ったか』（稲垣武氏著。PHP研究所）という本も刊行され、北朝鮮を「地上の楽園」扱いした進歩的文化人やマスメディアは笑い物になった。

当然同じことが起こりうる。その際、正義を投げ捨てた「親中派」の存在を許してはならない。もし、少しでも災禍の責任者を擁護する動きが日本国内にあれば、我が国が再度「敗戦国」となる恐れを孕(はら)んでいる。

こうした視点から世界の未来を考える時、もし今の日本が東日本大震災当時のような民主党政権であったり、また中国の非道を見て見ぬふりする親中派が総理大臣の地位にあったらどうなっていたかを想像すると、戦慄を覚えるしかない。

政治哲学者のカール・シュミットはその著書『政治的なものの概念』（田中浩・原田武雄訳。未来社）で、次のように政治を定義している。政治とは「誰が敵で誰が味方かを明らかにする行為」である。つまり、「幅広くみんなの意見を聞く」といった行為は宗教の教義か初等教育のカリキュラムのものであり、政治とは全く無関係だ。敵とは自己の存在を否定するものであり、味方とは自己の存在を肯定するものである。政治を行うものは「誰が敵か」を主体的に定義する必要があり、もしこの判断を放棄したならば、それは「政治的主体」であることの消滅（主権喪失）を意味する。

憎悪がうごめく世界で八方美人では生き残れない。それこそ、かつてのスイス連邦のように各家庭へ自動小銃（シグＳＧ５５０）を配布し、厳格な国民皆兵をする必要があり、現実的ではない。今必要なのは、明確な国家観を持ち、敵味方を峻別する指導者の存在である。

安倍晋三総理（当時）は、令和元年十一月に外為法を改正し、翌年五月八日に施行した。この改正の目的は、武器製造や原子力産業に携わる企業株が外国資本によって買収されるのを防ぐためであった。北海道の採水地を外国資本が買い漁るといった放置できない課題も残されてはいるが、かなり骨抜きにされたとはいえ、自衛隊基地や原発など安全保障上重要な施設周辺の「土地利用規制法」が令和三年六月に通常国会で成立したのは、ウイグル非難決議が採択されなかったことを思えば、不幸中の幸いではあった。

ともあれ、我が国の兵器技術と原子力情報の他国流出を防ぐことは、最優先で解決すべきことである。

北朝鮮への日本政府独自の制裁として、北朝鮮渡航後の再入国を禁止する対象に、核研究で朝鮮総連から奨励金を受け取っていた京大准教授が含まれていることもわかっている（平成二十八年五月）。我が国を取り巻く状況はかくも不穏であり、為政者が敵味方の識別を明らかにしていかなければ、私たち日本人の生存が脅かされる局面も想定しなくてはならない状況にある。

敵は「正義」と「不正」の二択で決まる

さて、敵とはいったい何かを考えると、それには、三つの考え方がある。

アリストテレスの『弁論術』（岩波文庫。戸塚七郎訳）によれば、敵味方を判断する思考には、「演説的弁論」「議会弁論」「法廷弁論」の三種類があると考えられる。

「演説的弁論」は、感性による称賛または非難によって定義され、敵とは美しいか醜いかによって決まる。異民族のマナーが悪く、また服装が醜いものであれば、感性において悪と決定される。しかし、これはまさにヘイトスピーチの類であり、このような決定方法は現代では採用できない。

「議会弁論」は、知性を前提にした損得勘定によって敵を定義する。経済的に利益をもたらすものであれば良いものであり、損害をもたらすものであれば悪とされる。しかし、これではまさにインバウンドを手放したくないばっかりに、新型コロナウイルスもろとも呼び寄せてしまった手法であり、そこに正義は認められない。

最後の「法廷弁論」は、理性に基づいた告訴、または弁護によって定義される。この基準は、「正義」か「不正」かの二択であり、人類が過去から現在までに得た善悪の観念に基づき、悪が決定される。

今、世界の人々は中国共産党という巨大な不正を認識した。病魔を蔓延させ、事実を隠蔽し、責任を転嫁しようとする現実を目の当たりにした。この不正に対して、我が国の為政者も敵として告発すべきか味方として弁護すべきかの選択を迫られている。適切な判断が期待される中、中国共産党の利益のために尽力し、あるいは阿諛追従してきた者や、告発の意思を明確に示すことができない者に、我が国の指導者が務まるだろうか。断じてあり得ない。

そもそも憲法改正を結党目的に設立された自民党でありながら改憲の意思を明らかにしない者や、日本の領土を狙う習近平国家主席を国賓として招き、天皇陛下と同席させようとした者がいたことを忘れてはならない。今後の国際政治が、中国共産党を「被告人」として裁く場であることを想定した時、処罰する意思がない者や、まして被告人と懇意であった者を我が国の為政者にすることは、国家の自殺でしかない。

二度と悪魔と手を結んではならない

疫病の災禍をもたらし、また特定の民族を浄化しようとする中国の悪行を看過したならば、どうなるか。それは、歴史が証明している。私は、正義凜たる大日本帝国が唯一犯した過ちは、御名御璽を戴く条約締結において、かの虐殺者ヒトラー率いるナチスドイツの盟邦となったことであると考えている。

日本は、昭和十三年十二月六日、近衛文麿首相以下五名の閣僚による五相会議で採択した猶太人対策要綱にて、ユダヤ人を排斥しないことを決定した。しかし、その中には「獨国ト同様極端ニ排斥スルカ如キ態度ニ出ツルハ唯ニ帝国ノ多年主張シ来レル人種平等ノ精神ニ合致セサル」との文言がある。ナチスがユダヤ人排斥をしていることを認識しつつ、昭和十五年に同盟を締結したのである。

これは、「排斥といっても虐殺していることまでは知らなかったのではないか」との弁護も可能であるかもしれない。しかし、昭和十六年四月から駐日ドイツ大使館駐在武官に着任したヨーゼフ・マイジンガー武装親衛隊大佐が、日本の影響下にあった上海在住のユダヤ人（女性と子供含む）を虐殺する「手法」について、日本政府に要望書を提出しているのである。このことからも、日本はナチスの明確な殺意を認識していたことがわかる。にもかかわらず、ドイツとの友好を維持した。この罪の重さによって、杉原千畝や樋口季一郎らのユダヤ人救出の英雄的な活躍があろうとも、戦後日本の立場を決定的に悪くする罪科となったのではないか。

中国が新型コロナウイルス発生を隠蔽したことは周知の事実である。また、他民族の教化を名目に女性と子供を含む多くの人々を強制収容し、堕胎の強要など非人道的な扱いをしていることは国際社会の批判の的になっている。世界がこのような不正を見逃さず、中国を「世界の敵」として追及する時は必ず到来する。

その時、日本が「世界の敵と盟邦」であったなら、どうであろうか。この期に及んで敗戦屈辱の占領憲法を金科玉条として護憲を叫ぶ議員は論外としても、憲法改正を口にしつつも、内心では敵と味方を間違えている自称保守議員が指導者となれば、日本の未来はなきに等しい。

かつてドイツは第一次世界大戦で対英米の西部戦線と対ロシアの東部戦線の二正面作戦を実行して負け、第二次世界大戦でも同様の二正面作戦を展開して敗北した。日本はかつて邪悪な国家を友人にして負け、そのせいで「悪魔の友人は悪魔」の冤罪の弁護に、私たち保守は相当な労力を費やしている。日本の為政者が再び悪魔を友とし、手を結ぶことは絶対に許されない。日本は、道義的国家でなければならないのだ。

合憲の日本人義勇軍を台湾に送るべし

迫る台湾・沖縄有事

二〇二一年三月二十三日のアメリカ合衆国上院軍事委員会公聴会で、新たにインド太平洋軍総司令官に任命されたジョン・アキリーノ大将は、「台湾侵攻は多くの人々の予想よりも差し迫っている」と証言し、中国共産党軍（以下共産軍）の侵略戦争は目前であると警告するとともに、前任者のフィリップ・デービッドソン大将が主張した「台湾侵攻作戦は今後六年以内に起きる可能性が高い」という戦争開始までまだ時間的にゆとりがあるかのような分析を批判した。

その言葉を裏付けるかのように、共産軍は三日後の同月二十六日、核攻撃用の戦略爆撃機ツポレフ16のコピー機「轟炸六型」など二十機を台湾防空識別圏内で飛行させ、軍事的な威嚇（いかく）を行った。

また、尖閣諸島周辺の日本領海侵入を繰り返す共産軍は、日米軍から探知されないようにレーダーを切って航行し、いつでも戦闘に入れる準備をしているという。日米軍は偵察衛星を駆使してこうした共産軍の動きを捉えようとしているが、軌道周回の問題から東シナ海に展開中の共産軍戦闘艦艇を補足できない時間帯があり、共産軍はこのタイミングに合わせて行動し、時には日本の商船用レーダーを使用して擬装工作を行っているという（令和三年三月三十日付産経新聞）。

いまや戦争が目前に差し迫っている現実を、すべての日本国民が直視しなければならない。もし、台湾が陥落したら、次は沖縄に爆弾が落ちる。それだけにとどまらず、マラッカ海峡を通過する日本行きタンカーの海上補給路は遮断され、わが国の経済と国民生活は多大な損害を受けることは明らかだ。

残念ながら、中国の台湾侵攻までに我が国の憲法改正が間に合う保証はない。では、私たちはこのまま傍観すべきなのか。本論は、過去の内閣法制局（政府）の見解を基礎にし、台湾有事におけるわが国の在り方についての私見を述べようと思う。

日本国憲法下の昭和二十四年の戦闘に学べ

平成二十一年（二〇〇九）十月、台湾国防部の黄奕炳中将が、かつて台湾において共産軍と戦った日本人の英雄らの子息を台湾に招いた。共産軍の侵攻を撃退した古寧頭（こねいとう）戦役から六十周年を記念しての招聘であった。

台湾は明治二十八年（一八九五）に日本領に編入されたが、昭和二十年（一九四五）の大東亜戦争終結以降は中華民国（国民党）が支配した。翌年から大陸で共産党と国民党が戦争を始め、戦術的に敗北した国民党は台湾に臨時首都を設置。そのため共産軍は台湾占領作戦を開始したのである。

このとき共産軍上陸阻止作戦の指揮をとったのが日本人、根本博元陸軍中将であった。根本氏は台湾侵攻作戦が近いことを予想すると、東京・町田市の自宅を抜け出し、宮崎県沿岸から密航船に乗って台湾に向かった。そして、中華民国陸軍に協力を申し出て、司令官に任官し、見事な作戦指揮を行い共産軍上陸部隊の撃滅に成功した。

ここで筆者が注目するのは、現在と同じ日本国憲法下におけるわが国政府の見解である。実は、根本氏の指揮で共産軍を撃破して台湾の赤化が阻止されたことは当時の日本社会を大いに騒がせた。そこで、第六回国会（昭和二十四年十一月二十五日）において、政府は日本人による軍事指揮について次のように答弁した。

「日本国内において日本人義勇軍が組織された事実は発見されない」と。

つまり、日本の施政下でなければ、日本人義勇軍の編成と実戦参加については黙諾するとの方針を示したのである。

この政府答弁の後、日本陸軍歴戦の勇士たちが台湾に参集し、日本人軍事顧問団「白団」を結成した。日本人軍事顧問団は以後二十年近くにわたって台湾の中華民国国防軍の軍事エリートを養成・教育し続けたのである。

繰り返すが、現在と同じ日本国憲法下においてのことである。であれば、現代の自衛官らが一時的に離職し、日本国外で武器調達をして台湾に集結し、軍事活動をした後に帰国することは、憲法上問題があるとする理由がない。

領海線が明確ではない海域においては、わが国が自主的に防衛線を認定し、厳重なる警戒と周到なる用意をし、万一衝突した際は兵力の多寡と領海線の如何にかかわらず必勝を期さなければならない。

富める暴漢となった中国に対話の余地はない

台湾の陥落は対岸の火事ではない。戦争を望む意思が相手方にある以上、たとえこちらにその意思はなくても、戦いは不可避である。もはや、甘ったれた戦争観は許されない。

古来、戦争とはその土地が養える以上の人間が生まれたときに発生するものであった。原始時代の狩猟採集であろうと、その土地にある果実と獲物は定量であり、人が増えれば餓死者が出るため、殺し合いによる人口減少は必然であった。稲作が始まっても、高地性集落や環濠集落の遺跡が示すように、人口が増えればそれを養うために水耕面積を増やさなければならないが、水源の水量は一定であるため、これもまた戦争をしてその水源で維持できるだけの人口に減らさなければならなかった。

こうした事実から、マルサスが『人口論』（一七九八年）で主張したように、人口増加が貧困を生み出し、それが戦争によって解決されると考えられるようになった。しかし、この戦争観を一変させたのが、一九〇六年にドイツのフリッツ・ハーバーとカール・ボッシュによって開発された「ハーバー・ボッシュ法」である。

ハーバーとボッシュは空気中から化学肥料の原料を生成することに成功した。これにより、植物に窒素を供給することができ、「土地が枯れる」ということがなくなった。作物の収穫量は飛躍的に増加し、結果として増えた穀物を家畜に与えることで畜産も増加、ついに人類は食糧問題を解決したのである。すなわち、二十世紀初頭に人類は空気中からパンと肉をつくることに成功し、ボッシュらはノーベル賞を受賞した。

よって、いま食糧難が起きているのは「食糧生産よりも優先すること」がある地域に限られる。「食糧」よりもされるのは「憎悪」である。

憎悪という観念は人の内面世界であるため、対話によって変えさせることは難しい。単に空腹を理由にした戦争ならば、空腹状態の解決が戦争の解決を意味したが、観念は対話や交渉によって変わる余地がない場合がほとんどだ。

したがって、貧しい暴力愛好者を支援して豊かにすれば、富める暴力愛好者となるだけである。わが国が半世紀以上にわたり国民の血税によって中国に与え続けてきた対中ODAは無残な結果に終わった。日本を射程にとらえている「東風」などの弾道ミサイルは、日本人の税金でつくられたと言っても過言ではない。

狂信的な独裁者相手には、話し合いや対話の余地が一切ないことを前提に、来たる台湾有事に私たちは備えなければならない。

おわりに――日本よ、英国の「経験」に学べ

「日本は平和ですか」と英国で尋ねられて

二〇一二年の春、私はイギリスに留学してロンドンにいた。ある日、下宿先のおばさんの息子がアフガニスタンから帰ってきた。息子はテロリストを相手に名誉の戦傷を負い、おばさんは彼をとても誇らしそうにしていた。そう、私が留学していた時、イギリスは戦争中だったのだ。

戦地から帰ってきた彼は、私が日本人だと知ると、「日本は平和なの?」と尋ねた。私は、答えるのを躊躇した。何故ならば、イギリスには家族を外国の軍隊に拉致されて苦しむ人々など存在しないが、日本には現在進行形でそうした苦しみの中にある人々(横田めぐみさんの両親など拉致被害者)がいたからだ。

私は少し考えた後、素直に「北朝鮮による拉致被害者がいるが、そうではない人々はおおむね平和だと思っている」と答えた。すると彼は、とても悲しそうな顔をして「銃には銃でむかわなければ話し合いのテーブルにつくことさえできない歴史をイギリスは経験しました。だから、今があるんだ」と語った。

彼の言う「経験」とは、イギリス経験論のことである。私はそれまで哲学といえばフランスやドイツの本しか読んだことが無かったが、それからはイギリス経験論の本を片っ端から読むことにした。そのおかげで、「経験」という僅か二文字の中に、政治、法律、外交、経済、医学、科学、芸術というありとあらゆる人間の叡智が凝縮され、それがイギリスという国を構成していることを知ることができた。

蛇足になるが……。当時、この帰還兵に私の情念は躍動した。幾度かデートを重ね、この勇者にならば身を捧げてもいいと感情的に当時思った。しかし、彼の五十センチ以内の傍に近づくと、「アポクリン腺から分泌されたエアロゾル臭気粒子」（フェロモンというのか、ワキガというのか）が私の鼻腔に入り、「遺伝子は近すぎても遠すぎても駄目だな」という経験をして諦めたことがある。

そう、情念という感情では彼と恋仲になることを私は欲していたが、遺伝子という科学的経験則の立場から現実を捕らえると、この日英の恋の成立は有用な結果をもたらさないという結論に至ったのである。免疫機能の違いなど子どもをつくる上で生じ得る様々な不都合が臭気情報に含まれていると私の経験則は判断し、彼はとても残念な様子であったが、私は止む無く戦略的撤退をしたのであった。感情と経験が対立した結果、経験が勝ったのである。

「経験」と「観念」とどちらを優先すべきか

ともあれ、「経験」の対義語は「観念」である。観念とは、頭の中だけで思弁したことである。その観念を小説や漫画にするならば、観念の正しい使い方だといえるが、実際はそうではない。観念を現実世界に適用しようと試み、もし観念と現実が相容れなかった場合、観念を修正するのではなく現実を修正しようとするのである。

それが本書の主要テーマとなった「ジェンダーフリー」や「ポリティカル・コレクトネス（PC）」であり、また強烈な害をもたらしている「日本国憲法」である。

憲法に「平和」「戦争放棄」と書いておけば戦争にならないとする「経験」を私たち日本人は持っていないにもかかわらず、考え出された「観念」を現実世界に適用させようと試み、ついには拉致被害という犠牲者を出すところまで行き着き、今や強大な外国の軍艦が私たちの領海に毎日侵入するのを見て見ぬフリをするようにまでなった。戦争とは、自分たちの都合だけで始まるものではない。相手だけの都合で始まる場合がある。その歴史的経験則を現在の私たち日本人は身に着けていないのである。

私の思想の源流にあるものは経験論である。経験というものは決して変わらない。しかし、観念は容易に変えることが出来る。戦後の日本は、大日本帝国が間違いをしたという認識から多くを変えてしまったが、経験とは間違いを含めて経験であり、それを消し去ることはできない。失敗も経験の一つなのだ。一個人も家族も国家も、経験の蓄積で進歩する。経験を捨てれば間違いを何度も犯すことになる。

だが、観念論に陥った戦後の日本人は、歴史という経験を否定することで新たな観念にすがりつくことを決めた。それが「専守防衛」という観念を基礎にして作り出された日本国憲法であった。

日本国憲法が制定された当時、北朝鮮も中華人民共和国も地球上に存在しなかった。しかし、いまは違う。それにもかかわらず、いまだ憲法九条一つ日本人が変えられない根底には、経験という概念を根本的に否定し、あくまで観念論が奏(かな)でる平和という幻想に固執しているからに他ならない。

本書で繰り返し述べてきた「経験論」とは、言葉の通り現実に於いて収集蓄積した情報を有用に役立て、人間の観念で形成された虚像を経験に優先させてはならないことをいう。

「観念」優先の共産主義とジェンダー論の共通性

私の世界観では、この世はいつも経験論と観念論が対立している。観念論は「合理」という装いをよくしているが、理性の要件である普遍性が無いにもかかわらず、理性ではないものを理性だと僭称している場合がほとんどだ。

例えば、新型コロナウイルス感染症につき、令和二年二月当初、日本政府は「人から人に感染は確認されていません」と公式発表していた。医師会もこれを支持していた。そのような「経験」はしていないにもかかわらず、である。当事者にしてみれば虚偽を以て国民を欺くという悪意はなく、純粋に観念からそう思ったため発表したのだろう。しかし、これが重大な問題を引き起こした。「感染しないならば外国人旅行者や労働者を継続して来日させても問題ない」という世論が喚起されたからである。結果的に国民が経済活動を自粛しても次から次へと感染者が入国してきたと考えられる。

当たり前だが、すべての新型コロナウイルスは海外からきたものだ。ウイルスが渡り鳥のように海を飛び越えることは無い。こうして今日まで継続する重大な経済的問題が生じ、今なお死傷者が出続けることになったのである。これが「観念」の恐ろしさだ。

こうした現象は今に始まったものではない。戦前の「日本は神国だから神風が吹いて戦争に必ず勝つ」という観念論者（空想的軍国主義者）は、戦後「日本は平和国家で島国だから侵略されることもなく憲法九条が役立って必ず戦争にならない」という観念論者（空想的平和主義者）に変わっただけで、その実態（空想的観念優先）は共通している。両者とも、観念の世界に生きて現実を見ていないのである。

例えば、かつてのソ連ではルイセンコという自称科学者が、作物の種を冷蔵庫で冷やせば遺伝子が変わって冬にも発芽して収穫できるようになると言い出した。ソ連の国家的テーマであった「環境は遺伝に勝つ」という政治宣伝を補完する目的で出された観念論だ。もちろん、結果は種が腐るだけであり、大量の餓死者を出した。

「念じれば実現する」ということを妄信している様子は、「心の中で自認すれば男は女になれる」という観念と共通している。そもそも、金持ちを殺せば貧乏人が豊かになるという共産主義の発想自体が観念論だ。だから、共産主義とジェンダー論には親和性がある。

彼らは「科学」という言葉をよく使う。もちろん、誤用だ。科学とは、誰がいつどこで観察しても同じ結果が反復的に得られる発見をいう。自然科学ならば、水はいつどこで誰が観察しても固体になる温度は同じだ。しかし、社会科学や人文科学は、観察するたびに変わる人の心理や印象や感想という科学とは程遠い多様性に満ち溢れたものでしかなく、せいぜいで「疑似科学」である。

もちろん、観念が有用になる場面もある。小説や漫画や映画だ。芸術こそ観念が最も生きる世界だ。しかし、俳優のように観念で政治家や軍人を演じられても良い結果は間違いなく得られない。残念なことであるが、民主主義である以上、政治や国防に観念的な輝きを求める有権者は一定数いるため、政治や国防が観念で動かされる危険性は常に付きまとうのである。

経験の蓄積とAI社会の対立

本書でさまざまな視点から論じたジェンダーフリーも、心の中で念じるだけで性別が変更できるとする極めて跳躍した観念の産物だ。しかし、日本には平安時代の『とりかへばや物語』のような男女が逆転して生きて活躍するような物語が昔からあるのだから、本来ならば物語の世界で満足すべきであって、こうした観念は現実世界の政治や司法に飛び出てはならないのである。

ただ、一点注意がある。経験論の祖、フランシス・ベーコン子爵は十七世紀初頭から「人間の感情は経験が支配できるようになる」と予言していた。そして、二十世紀後半になると、トランキライザーの開発に人類は成功し、感情が脳内の神経伝達物質の物理的作用によってもたらされることを特定し、これらの物質を薬物で操作して感情を統制することが技術的に可能となった。

ベーコンは引き続き「人間の理性も経験でどうにかなる」と予言しているが、現在まで、細菌やウイルスによる病気は医学が対応できても精神病の数だけは増加の一途を辿り、また、経済学者の多くはリーマンショックを予期できなかった。人間の「理性」という精神作用だけは、未だ経験的に解明されていないのである。その点は、留意されたい。

もちろん、今後ビックデータの蓄積と活用次第では、現在の人類が予想できないAI・シンギュラリティの世界において「統制」や「予測」も可能になる時代が到来する蓋然性を否定しないが、現時点では人間の能力には限界があり、あくまで経験を少しずつ蓄積することでしか真理に近づくことは出来ない。

人間は考えるよりも経験した事実を忘れないことが重要なのだ。これが、急進的な人々に対する保守主義者の私からの警告である。

少なくとも、「性自認」など思うだけで男女の生物学的性差が消滅することはない。この世に蔓延した数々の観念の誤謬、より簡単に言うと妄想について、まず第一歩の打破として本書はジェンダーフリー論を挙げた。経験という本道から外れた亜流の心、すなわち悪はまだまだたくさんあるが、一つずつ確実に打ち破っていかなければならない。それらを打破しなければ、観念がたちまち狂気に変貌して恐ろしい目にあうのは、私たち自身なのだから。

フランス革命という「経験の廃棄」を痛烈に批判したバーク

ところで、日本には信教の自由がある。誰もがそれを当然だと考えている。しかし、私が留学していた当時のイギリスは、憲法典に（イギリスは一つの憲法があるのではなく、十七以上の重要な法を総じて憲法典としている）特定の宗教の信者は王位継承者と結婚してはならないと明確に「宗教的排斥」を定めていた。カトリック信者はつい最近まで王妃・王配とはなれなかったのである。

これは、ただ観念的に決まったことではない。歴史的にカトリックの王族がイギリス国民に災禍をもたらした経験があると認識されていたため、特定宗教の排斥が憲法典となったのである。

ここに、経験と観念の重みの違いがある。観念とはいともたやすく形成され、また消し飛ぶ。また消し飛んだあとには反省もない。ただ責任転嫁があるのみである。しかし、経験は違う。古代から現在までの人々の生活の営みの蓄積のうち、多くに共通する部分が抽出され、歴史的事件を通じて法律や判決文などの形で成文化され、現在に至るのである。

これは、科学と同じである。水に熱を加えると蒸気になり、その蒸気の物理作用を変換する装置をつくることで機関車や炭鉱排水装置が完成し、これらが実用化されることで更なる研究が加速して、ついには原子力発電やインターネットなどの現代技術が完成したように、小さな発見を一つずつ決して忘れることなく記録して逃さず、基礎研究の積み重ねで文明は進歩してきた。実は、蒸気機関自体は古代ローマでも中世イスラムでも発明されているが、これらの地域に「経験論」が無かったため、ただ蒸気で回転する玩具のまま研究が止まり、時代を経るごとに人々から忘れ去られ、ついに汽車も汽船も登場しなかったのである。ここに、経験論の重みがある。

もし、人々が経験を捨てて観念に没頭した場合、人々は永久に原始時代をやり直すことになるだろう。これは、科学も政治も同じなのだ。

もうお分かりのことだと思うが、経験論を科学に適用したものが現代技術であり、経験論を政治に適用したものが保守主義である。イギリスでは、前述したように、十七世紀初頭にフランシス・ベーコンが『ノヴム・オルガヌム――新機関』（岩波文庫）を刊行して経験主義を説き、この哲学を基礎にした人々によって産業革命が起き、約百五十年後にエドマンド・バークが経験論を政治に当てはめて、フランス革命という「経験の廃棄」を痛烈に批判した（『フランス革命の省察』）。

もし、人に経験能力が無いならば、それこそ農耕すらできなかったことだろう。

「原始時代に戻れ」を連呼するリベラルたち

ところで、現代の遺伝学は、ホモ・サピエンスの近縁種にあたるネアンデルタール人やデニソワ人が存在していたことを解明している。彼らと私たち人間の最大の違いは、知性であるとか色々と言われているが、私は「経験した情報を子孫に伝える」という能力の有無にあったと確信している。

動物は遺伝子だけしか子孫に伝えることができないが、私たち人間は遺伝子に加えて学識、財産、思弁、ありとあらゆる経験の集大成を次世代に伝えることが出来る。だからこそ、今日の偉大なる科学文明を維持することが出来るのである。

もし、保守主義の政治思想が無ければ、動物の骨を焼いたり、植物を崇拝してみたり、恒星の位置を観察することで政治をしていたような原始社会に人類が戻ることは避けられない。それは、「もし科学を支えている基礎研究を次世代に伝えることが出来なかったら」ということと全く同じである。電気ガス水道、医療も現代科学の一切が不要であるとの思想の政治版が、保守主義の否定にあたるのだ。

だからこそ、私は日本人が古代から受け継いできた言語、宗教、慣習、文化、そして王権を決して絶やすことなく、また付け足すことはあっても削り取り変えることなくすべてを次世代に伝えていきたいのである。

リベラルとは、私たちが祖先から受け継いだ家族観や伝統などを敵視し、ひたすら「原始時代に戻れ」と叫んでいる輩でしかない。「伝統の否定」が行き着く先は、まさに原始時代、ネアンデルタール人などが跋扈(ばっこ)し、親子が引き離され、児童を強姦して解体して食べ、女性を集団強姦しても何の罰もなかった世界への回帰である。それが観念論である日本国憲法をこの非常時に守れということになり、伝統的家族観の否定、男らしさと女らしさを否定し女系天皇容認論といった皇室制度の廃止をたくらむジェンダーフリー思想の蔓延とつながっている。それらの議論の背景には、すべてに共通した目的があると私は見做している。

先に触れた保守主義の父、エドマンド・バークは「世代間の連続性を失ったものはひと夏の蠅も同然である」との言葉を残している。虫に保守主義は無い。同じく、リベラルに保守主義は無い。私が昔飼っていた犬にも愛国心は無く、君が代も歌えなかった。人間以外の種族に伝統も国家も無い。

そのような原始世界にしてはいけないのである。水の温度を下げたら固体になり、温度を上げたら気体になるという物理法則を理解できることと同様に、古今東西の人類が普遍的に守ってきた家族観、君主、そして文化と伝統を守ることが大切なのだ。

保守主義を生み出したイギリスは、良い国だ。基本的人権の擁護と民主主義を伝統文化とし、栄えある王権を戴き、今も貴族たちが血統によって国会議員（貴族院議員）や閣僚（軍務伯）に任官する。近年では移民の渡航制限に成功し、移民労働によって得られる経済的利益よりも、移民との文化的摩擦や紛争を解消するコストが高くつくことを学んだ。日本は大いにイギリスに学ぶべきだ。

さらば、「戦後民主主義」の観念的幻想世界

時代の荒波に飲まれて沈むことなく浮かび続けてきた伝統には意味がある。例えば、伝統祭事が女人禁制であるのも女性蔑視だからではない。現代でも妊娠中に風疹ウイルスに感染すると奇形児が生まれることがある。そして、妊娠初期は外観から判別できない。「女性保護」のため、感染症対策として不特定多数が集合する祭事が女人禁制となった歴史的背景を今日の私たちならばきっと理解できることだろう。

斯く言う私も、渡英するまで「戦後民主主義」の観念的幻想世界に生きていた。そこには、私と同い年の青年が敵弾によって身体を負傷しつつ、祖国のため若い命を奉り、ペンを捨てて銃を取る勇気を持ち合わせていた現実など、全く知らなかった。あの英国人青年のアフガン戦役での誉（ほまれ）の傷をみて、私は軟弱な戦後民主主義のマトリクスから逃

れることができたのである。多くの方が、本書を通じて現在の日本国の持つ特殊性に危機感を抱き、来たる国難を打破する強い精神を育んでほしいと切に願う。

最後に、過激な文章であるにもかかわらず出版を快く引き受けてくださったＷＡＣ社ならびに度々起用してくださった「月刊Ｗ：ｉＬＬ」の立林昭彦編集長、いつも適切なアドバイスをして頂いた編集部の齋藤広介編集委員、「デイリー　ウィルオンライン」の中井裕編集委員、曽雌悠河編集委員、また散漫としていた私の論考を懇切丁寧に編纂され本書の構成をしてくださった出版局の方々、そして本書を上梓するに足りる学力を得るための進学費用を提供してくれた父母の皆々様に深く感謝し厚くお礼を申し上げる。

それと共に、本書を執筆できる安定した社会環境を国民に賜(たまわ)れた私たちの庇護者たる至高至尊の主君日本国天皇陛下へ対し、陛下の御代(みよ)に生きる幸運を感謝いたします。

令和三年八月

橋本琴絵

橋本琴絵（はしもと ことえ）
昭和63年（1988年）広島生まれ。平成23年（2011年）九州大学卒業。英バッキンガムシャー・ニュー大学修了。第48回衆議院議員選挙（2017）で、希望の党公認候補として立候補（次点）。

暴走するジェンダーフリー
異論を許さない時代

2021年8月30日　初版発行

著　者　橋本 琴絵

発行者　鈴木 隆一

発行所　ワック株式会社
東京都千代田区五番町 4-5　五番町コスモビル　〒102-0076
電話　03-5226-7622
http://web-wac.co.jp/

印刷製本　大日本印刷株式会社

ISBN978-4-89831-847-8